ALVAR AALTO

ALVAR AALTO
Karl Fleig

Tradução: Neide Luzia de Rezende

Martins Fontes
São Paulo 2001

Título original: ALVAR AALTO,
publicado por Verlag für Architektur Artemis, Zürich.
Copyright © 1974 e 1979 Verlag für Architektur Artemis, Zürich.
Nova versão de
"Alvar Aalto: Band I, 1922-1962"; "Alvar Aalto: Band II, 1963-1970" und "Alvar
Aalto: Band III, Projekte und letzte Bauten", herausgegeben von Karl Fleig.
Copyright © 1963, 1971 und 1978 Verlag für Architektur Artemis, Zürich.
Copyright © 1994, Livraria Martins Fontes Editora Ltda.,
São Paulo, para a presente edição.

1ª edição
março de 1994
2ª edição
julho de 2001

Tradução
NEIDE LUZIA REZENDE

Revisão da tradução
Marina Appenzeller
Revisão gráfica
Silvana Cobucci Leite
Vadim Valentinovitch Nikitin
Produção gráfica
Geraldo Alves
Composição
Antonio Neuton A. Quintino
Arte-final
Moacir Katsumi Matsusaki

Dados Internacionais de Catalogação na Publicação (CIP)
(Câmara Brasileira do Livro, SP, Brasil)

Fleig, Karl
   Alvar Aalto / Karl Fleig ; tradução de Neide Luzia Rezende. – 2ª ed.
– São Paulo : Martins Fontes, 2001. – (Coleção Arquitetos)

Título original: Alvar Aalto
ISBN 85-336-1454-3

1. Arquitetura 2. Aalto, Alvar, 1898-1976 I. Título. II. Série.

01-2961   CDD-720.92

Índices para catálogo sistemático:
1. Arquitetos : Biografia e obra   720.92

Todos os direitos desta edição para a língua portuguesa reservados à
Livraria Martins Fontes Editora Ltda.
Rua Conselheiro Ramalho, 330/340 01325-000 São Paulo SP Brasil
Tel. (11) 3241.3677 Fax (11) 3105.6867
e-mail: info@martinsfontes.com.br http://www.martinsfontes.com.br

Índice

Urbanismo

9 Centro da cidade, Seinäjoki
11 Centro residencial Kampementsbacken, Estocolmo (Suécia)
12 Centro residencial de Björnholm
13 Novo centro urbano, Helsinki
19 Novo centro urbano, Helsinki, 3º projeto
21 Centro cultural, Leverkusen (Alemanha)
23 Centro da cidade, Rovaniemi
24 Centro administrativo e cultural, Jyväskylä
26 Centro administrativo e cultural, Jyväskylä, 1ª etapa
28 Centro urbano, Castrop-Rauxel (Alemanha)
30 Conjunto habitacional, Pávia (Itália)

Teatros e edifícios culturais

33 Teatro finlandês, Turku
34 Teatro e sala de concertos, Kuopio
35 "Casa da Cultura", Helsinki
39 Centro cultural, Wolfsburg (Alemanha)
43 Ópera, Essen (Alemanha)
48 Casa do Norte, Reykjavik (Islândia)
50 Palácio de convenções com sala de concertos, Helsinki
57 Palácio de convenções "Finlândia", Helsinki
61 Centro cultural, Siena (Itália)
63 Teatro, Wolfsburg (Alemanha)
65 Teatro, Seinäjoki
66 Teatro e sede da rádio "Lappia", Rovaniemi

Exposições e museus

70 Exposição do VII Centenário de Turku, 1929
71 Pavilhão finlandês, Paris, 1937
74 Pavilhão finlandês na Exposição Universal de Nova York, 1939
79 Museu de Belas-Artes, Reval (Estônia)
81 Museu, Aalborg (Dinamarca)
84 Museu da Finlândia central, Jyväskylä
86 Museu de Belas-Artes, Shiraz (Irã)
88 Museu de Belas-Artes, Bagdá (Iraque)
89 Museu Alvar Aalto, Jyväskylä

Sanatório

91 Sanatório antituberculose, Paimio

Equipamentos pedagógicos

97   Universidade Pedagógica, Jyväskylä
100 Edifício principal da Escola Politécnica, Otaniemi
106 Reservatório de água da Escola Politécnica, Otaniemi
107 Casa da Associação dos Estudantes Västmanland-Dala, Upsala (Suécia)
111 M.I.T Dormitório dos idosos, Cambridge (Mass., EUA)
112 Cidade universitária, Otaniemi
113 Instituto de Educação Internacional, Nova York (EUA)

Bibliotecas

115 Biblioteca, Viipuri (Viborg, Rússia)
120 Biblioteca, Seinäjoki
123 Biblioteca, Rovaniemi
127 Biblioteca da Escola Politécnica, Otaniemi
131 Biblioteca do Mount Angel Benedictine College, Mount Angel, Oregon (EUA)
133 Biblioteca Municipal, Kokkola

Centros esportivos

134 Pavilhão de Esportes, Otaniemi
135 Centro esportivo e musical, Viena (Áustria)
137 Centro esportivo da Universidade de Jyväskylä
139 Ampliação da piscina da Universidade de Jyväskylä

Escritórios e edifícios administrativos

140 Sede do jornal *Turun Sanomat*
142 Centro cultural e administrativo "Forum redivivum", Helsinki
144 Instituto Finlandês das Aposentadorias Populares, Helsinki
149 Edifício comercial "Rautatalo", Helsinki
152 Ateliê do arquiteto, Helsinki
154 Sede da sociedade Enso-Gutzeit, Helsinki
157 Edifício do Banco Nórdico, Helsinki
159 Livraria universitária, Helsinki

161 Caixa Econômica Ekenäs, Tammisaari
163 Edifício administrativo Pohjola "Maiandros", Helsinki
164 Edifício da delegacia de polícia, Jyväskylä
166 Edifício administrativo dos Serviços Elétricos Municipais "Sähkötalo", Helsinki
168 Estação central "Drottning Torget", Göteborg (Suécia)

Fábricas

169 Fábrica de celulose, Sunila
174 Serraria, Varkaus
175 Central térmica da Escola Politécnica, Otaniemi

Sedes de prefeitura

177 Prefeitura de Säynätsalo
182 Prefeitura e administração municipal de Marl (Alemanha)
184 Prefeitura de Kiruna (Suécia)
185 Prefeitura de Seinäjoki
187 Prefeitura de Alajärvi

Centros espirituais

188 Capela do cemitério de Malm, Helsinki
190 Cemitério, Lyngby (Dinamarca)
192 Igreja, Lahti
193 Igreja e centro paroquial, Seinäjoki
195 Igreja de Vuoksenniska, Imatra
198 Centro paroquial, Wolfsburg (Alemanha)
201 Igreja, Detmerode (Alemanha)
203 Centro paroquial Riola, Bolonha (Itália)
205 Igreja do centro paroquial, Riola, perto de Bolonha, Itália

Villas

207 Casa do arquiteto, Helsinki
209 *Villa* Mairea
215 Casa de veraneio, Muuratsalo
218 Barco a motor para Muuratsalo
219 Casa Louis Carré, Bazoches-sur-Guyonne (França)
222 *Villa* Kokkonen, Järvenpää
224 *Villa* Schildt, Tammisaari

Centros residenciais e arranha-céus

226 Residências da fábrica de celulose, Sunila
229 Centro residencial, Kauttua
231 Edifício de apartamentos do bairro da Hansa, Berlim
234 Arranha-céu residencial "Neue Vahr", Bremen (Alemanha)
236 Residências Tapiola, Espoo
238 Residências Gammelbacka, Porvoo
240 Arranha-céu "Schönbühl", Lucerna (Suíça)
242 Residências e restaurante às margens do lago, "Schonbühl", Lucerna (Suíça)

Interiores

244 Móveis e luminárias

248 Lista das obras (1918-1976)
254 Epílogo
255 Biografia

Relação dos fotógrafos

P. Auer; Morley Baer, Berkeley; Centro Studi Aaltiani, Pino Torinese; Rolf Dahlström, Helsinki; Ä. Fethulla, Helsinki; Karl Fleig, Zurique; Robert Gnat, Zurique; Peter Grünert, Zurique; Kari Hakli, Helsinki; Heikki Havas, Helsinki; H. Heidersberger, Wolfsburg; Holmström, Ekenäs; Kalevi Hujanen OY, Helsinki; H. Iffland, Helsinki; Eva e Pertti Ingervo, Helsinki; Peter Kaiser, Zurique; Mikko Karjanoja; Kleine-Tebbe, Bremen; Pekka Laurila, Helsinki; Wolf Lücking, Berlim; Mats Wibe Lund, Reykjavik; Eino Mäkinen, Helsinki; Kalevi A. Mäkinen, Seinäjoki; Leonardo Mosso, Turim; O. Pfeiffer, Lucerna; Pietinen, Seinäjoki; István Rácz, Helsinki; Simo Rista, Helsinki; Roos, Helsinki; Matti Saanio, Rovaniemi; Lisbeth Sachs, Zurique; Ezra Stoller, Nova York; Karl e Helma Toelle, Berlim-Lichterfelde; Valokuva Oy., Kolmio; Gustav Velin, Turku.

URBANISMO

Centro da cidade, Seinäjoki
Igreja: Concurso 1952   Construção 1958-1960
Centro paroquial: Concurso 1959
Sede da prefeitura: Projeto 1960   Construção 1962-1965
Biblioteca: Projeto 1963   Construção 1964-1965
Presbitério: Projeto 1963   Construção 1964-1966
Teatro: Projeto 1968-1969

Foram organizados dois concursos: o primeiro, em 1952, para o estudo do centro paroquial, e o segundo, em 1959, para o estudo do centro administrativo e cívico. Esses dois estudos foram reunidos e formam um todo coerente.
A idéia principal consiste em separar os automóveis dos pedestres.
A igreja situa-se num largo onde os fiéis podem se reunir em grande número. Uma outra praça pública, cercada pela sede da prefeitura, pela biblioteca e pelo teatro, formará o verdadeiro centro cívico. Uma parte do espaço, perto da sede da prefeitura, foi concebida como terraço.

Vista da maquete geral

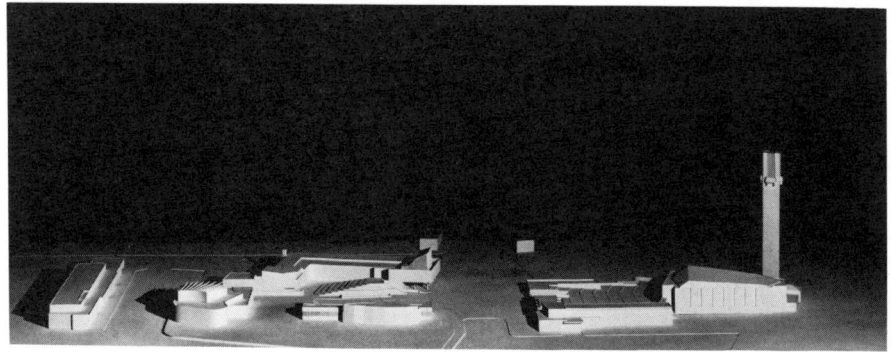

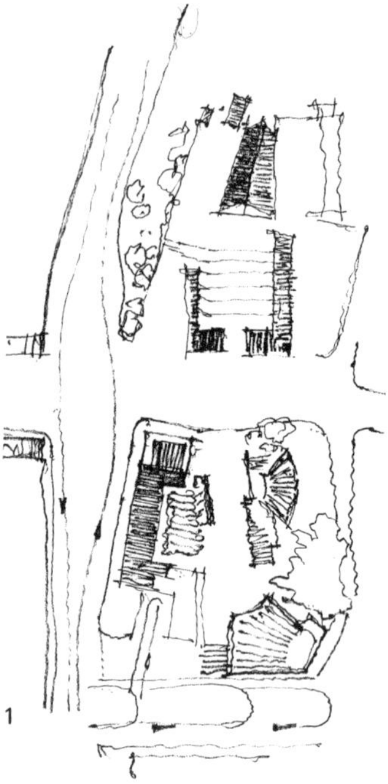

1

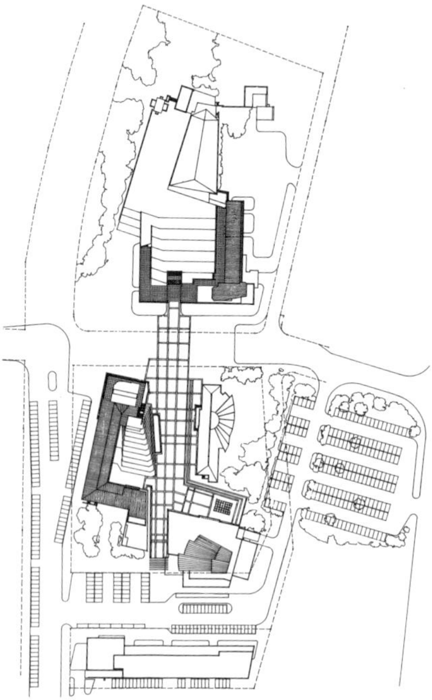

2

1 Planta de situação do centro: primeiro esboço
2 Planta de situação do centro
3 Sede da prefeitura com o pátio, a escadaria e a igreja

3

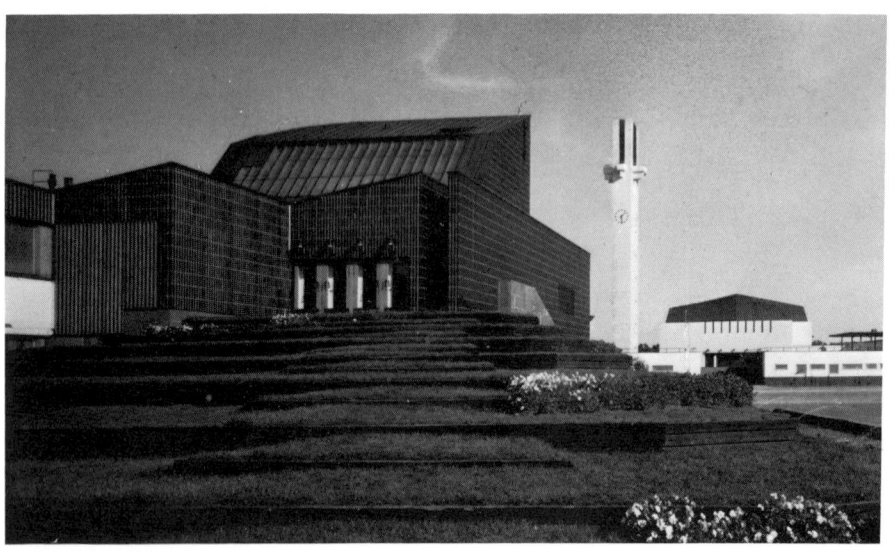

Centro residencial Kampementsbacken, Estocolmo (Suécia)
Concurso 1958   1º prêmio   Não realizado

Esse centro deveria ser edificado ao norte da cidade num extenso gramado ladeado de um parque.
Foram retomadas as mesmas idéias básicas do imóvel do Interbau.
Graças à topografia, tanto a circulação dos automóveis quanto os acessos e as garagens puderam ser situados ao norte, de 3 a 6 metros abaixo do nível das moradias, das áreas verdes e dos locais de lazer, que, dessa forma, ficam protegidos dos desconfortos do tráfego.

Projeto da planta de situação

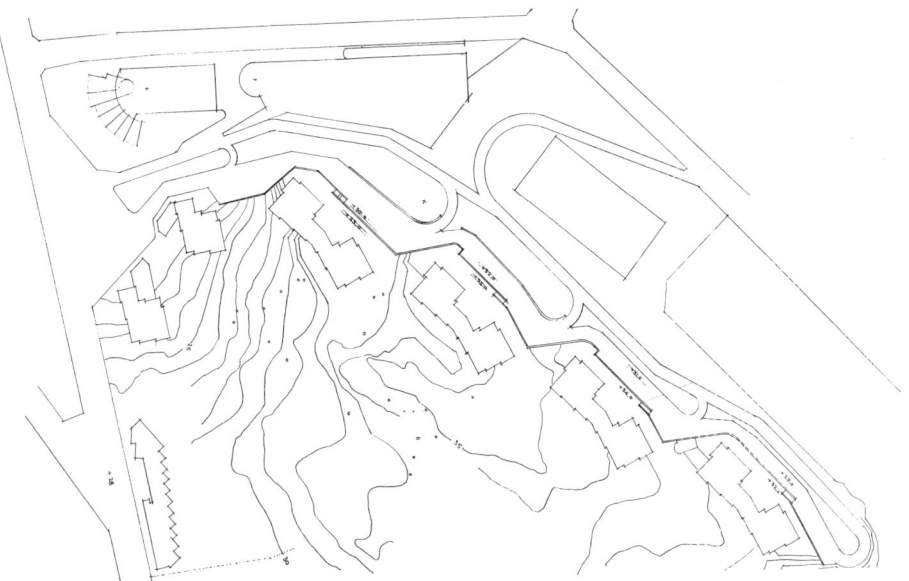

Centro residencial de Björnholm   Projeto 1959

Esse centro se encontra na periferia da cidade, no arquipélago tão característico da costa meridional da Finlândia.
Um centro residencial deveria inscrever-se nessa magnífica paisagem com muitas ilhas, à beira-mar. Os aterros permitiram recuperar para construção superfícies rodeadas de lagunas.
As casas adaptam-se aos declives e agrupam-se ao redor das lagunas, sem jamais serem perturbadas pela auto-estrada que serve o centro residencial.
Há três tipos de imóveis e um centro comercial e hoteleiro. Um dos tipos é representado por residências de seis andares no máximo, que lembram as da Interbau de Berlim, no bairro de la Hansa.

Maquete do conjunto
À esquerda, embaixo: centro comercial e hotel
À esquerda, no alto: os prédios altos com os aterros
À direita: as casas de aluguel
À direita, no alto: a ilha com as residências contíguas

Novo centro urbano, Helsinki
Projeto 1959-1964

Os principais setores que constituem o novo centro de Helsinki são: a praça central; o parque Hespéria com seus edifícios públicos às margens do lago Töölö, cuja planificação deve ser iniciada; a região de Kamppi que dará continuidade e concluirá o centro urbano em formação. Sob os auspícios das autoridades, a região de Pasila foi incorporada nos estudos a fim de nela se criar um outro centro.

A grande via de acesso à cidade se encontra acima da rede ferroviária, permitindo a visão dos bairros a leste e a oeste. A região de Kallio não se encontra, pois, separada dos outros bairros da cidade, mas constitui, com o bairro de Töölö, o núcleo urbano.

Vistos dessa artéria, os edifícios públicos estão organizados de maneira a oferecer uma imagem característica do novo Helsinki.

Quando se fala do centro de uma cidade, distinguem-se dois aspectos: a face urbana e a paisagem natural. A primeira resulta dos traçados clássicos do urbanismo, a segunda é uma tentativa, cara ao século passado, de salvaguardar a natureza, o que nem sempre proporcionou resultados convincentes. No caso de Helsinki, a planificação do parque Hespéria e do lago Töölö, apesar de alguns efeitos comoventes e poéticos, não foi muito bem-sucedida, pois a tentativa de introduzir no próprio centro da capital um lago como os das florestas da Carélia tem algo de pueril.

Esboço do plano

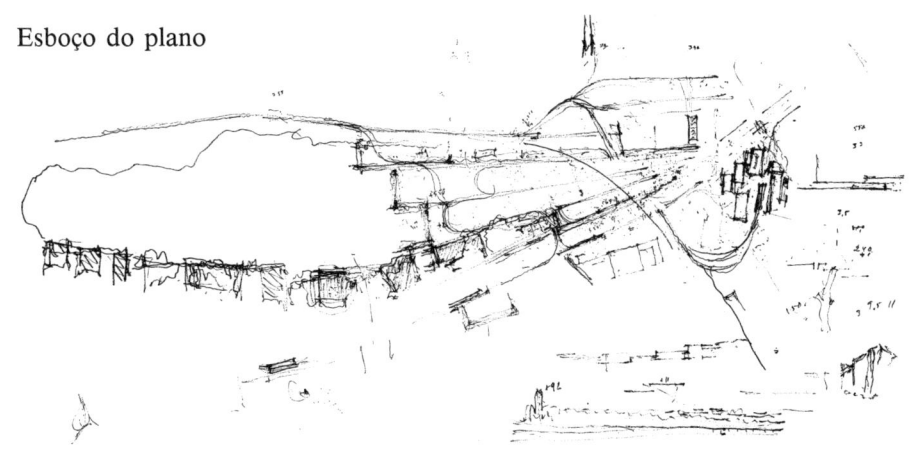

Maquete. Vista da auto-estrada que passa pelas margens do lago Töölö e termina nos edifícios públicos; no fundo, o centro comercial de Kamppi

Plano geral do novo centro

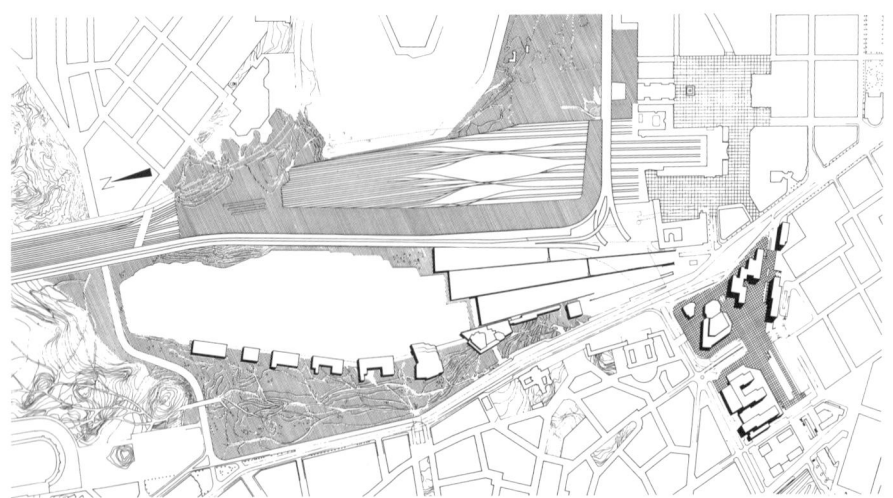

Os edifícios públicos que rodeiam o parque Hespéria avançam sobre a margem e formam um todo com o verde e a água.
A disposição proposta permite, ao contrário, aumentar o parque e oferecer mais espaço aos pedestres.
Entre os edifícios públicos estão o palácio das convenções e salas de concertos, que dominam a praça triangular em torno da qual eles se situam.
Ao norte estão os seguintes edifícios (do sul ao norte): a Ópera, o Museu de Belas-Artes, a Biblioteca e alguns outros edifícios públicos.
Ao longo do rio, os pórticos localizados sob os edifícios formam uma passarela contínua para os pedestres. O lago é visível do parque através desses pórticos.

Maquete. Vista do norte com o parque Hespéria

1 Maquete. Ao fundo, a região de Kamppi
2 Vista da maquete
3 Planta do térreo
4 Maquete do bairro de Kamppi; no primeiro plano, a rodoviária

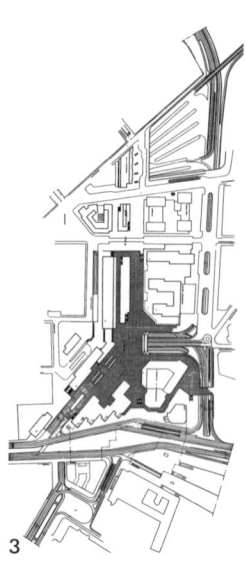

A região de Kamppi, já parcialmente construída, formará a fase final do centro modernizado. A separação entre a circulação dos pedestres e o tráfego motorizado está integralmente assegurada.
A plataforma superior é reservada aos pedestres; forma uma espécie de grande praça comercial com lojas e butiques. A plataforma inferior é reservada aos automóveis. As outras plataformas serão destinadas ao estacionamento dos carros.

A estação de mercadorias ocupa a maior parte de Pasila, onde se prevê a instalação de diversas administrações, independentes das condições ferroviárias, e não tendo necessariamente a sua sede no centro.
Atualmente, a planificação detalhada de Pasila está em estudo no Serviço do Plano de Extensão, órgão municipal.

4

1

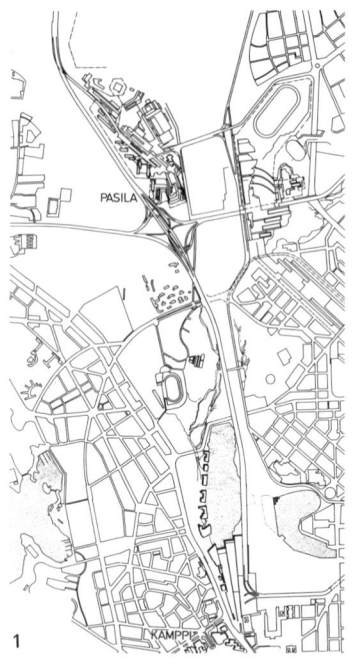

1 Planta de situação
2 Maquete com o trevo; no fundo, a região de Kamppi

2

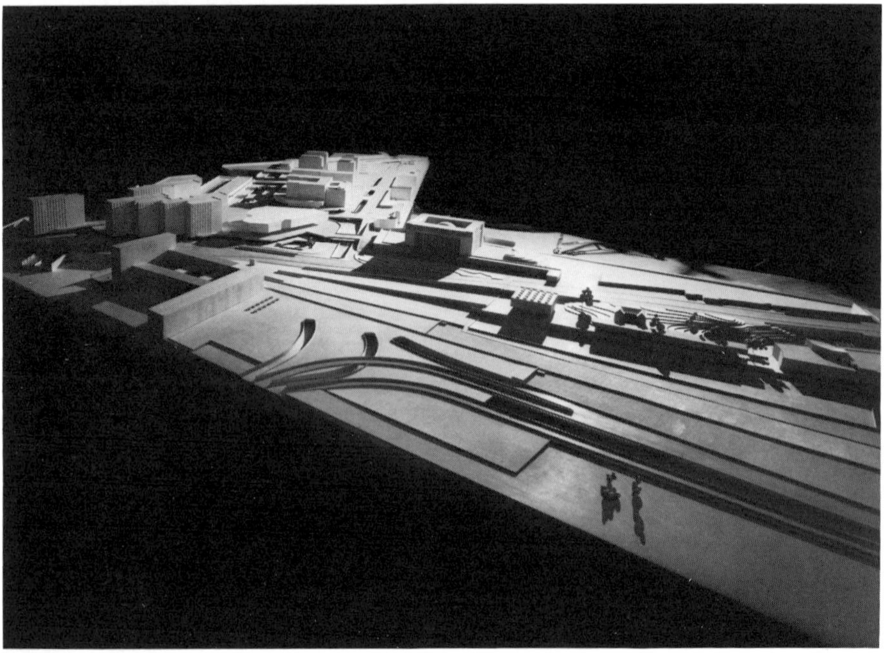

Novo centro urbano, Helsinki
3º projeto 1971-1973

A concepção geral do primeiro projeto foi mantida: a chegada da auto-estrada até o centro é paralela à ferrovia; grandes garagens dispostas em leque sob os terraços que se estendem até a margem do lago Töölö; à margem, a sala de concertos e o espaço para outros edifícios.
A novidade é a ampliação da sede dos Correios no terraço superior, o teatro da Ópera na extremidade do lago e a grande plataforma reservada aos pedestres que se dirigem ao estádio olímpico.

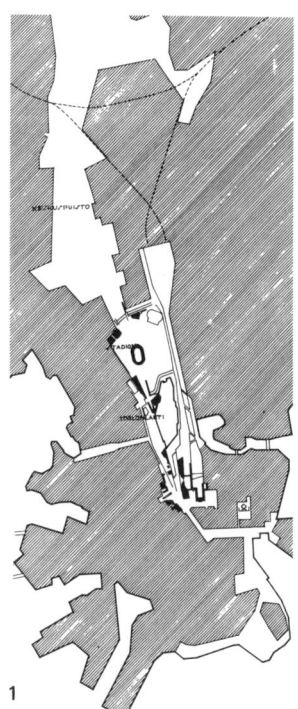

1 Plano geral com o antigo e o novo centro de Helsinki
2 Plano do centro, 3º projeto

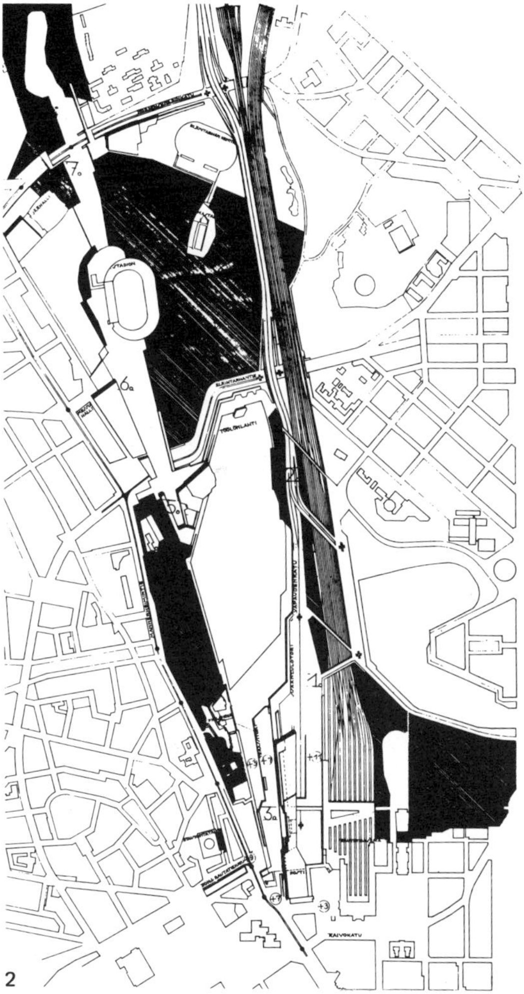

1

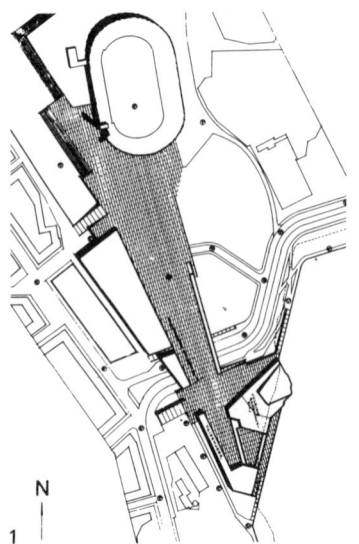

1 Via de comunicação entre o teatro da Ópera e o estádio olímpico

2 Maquete

2

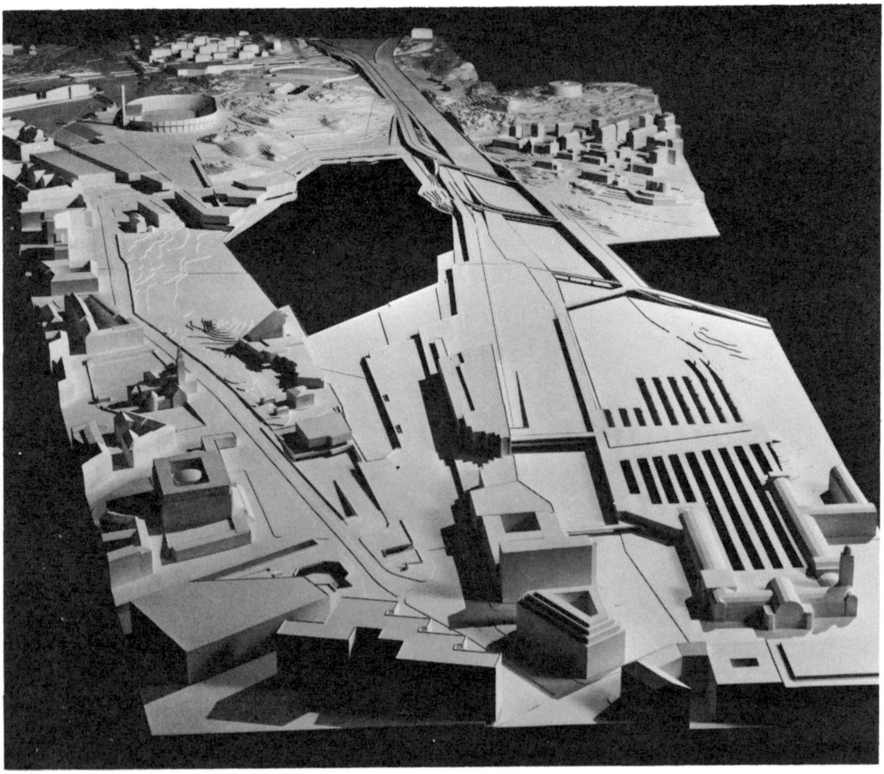

Centro cultural, Leverkusen (Alemanha)
Concurso 1962

O concurso propunha um programa particularmente rico e diversificado. Previa uma residência para jovens, uma universidade popular, uma grande sala polivalente com cinema, teatro de bolso e dois teatros, um maior e um menor, com um grande restaurante no teatro, um museu e a biblioteca municipal.
Essas condições grandiosas tornavam a solução do problema arquitetônico e urbanístico particularmente difícil.
O centro cultural é ao mesmo tempo um local de meditação e de intercâmbio de opiniões; deve, portanto, situar-se de preferência num lugar calmo. Essa condição, porém, era difícil em Leverkusen, próxima de duas vias de grande tráfego e de uma ferrovia. Tratava-se, portanto, de se criar uma esplanada afastada do tráfego que fosse conveniente aos pedestres, uma espécie de ágora. Para isolar a estrada de ferro, o arquiteto projetou uma imensa muralha formando uma proteção, junto à qual se situam a residência dos jovens, o conservatório, a universidade popular e o salão, enquanto o museu e a biblioteca municipal se localizam ao longo da estrada de Colônia, com o prolongamento de uma área verde com árvores e arbustos. O parque de estacionamento dos carros é disposto sob a grande esplanada.

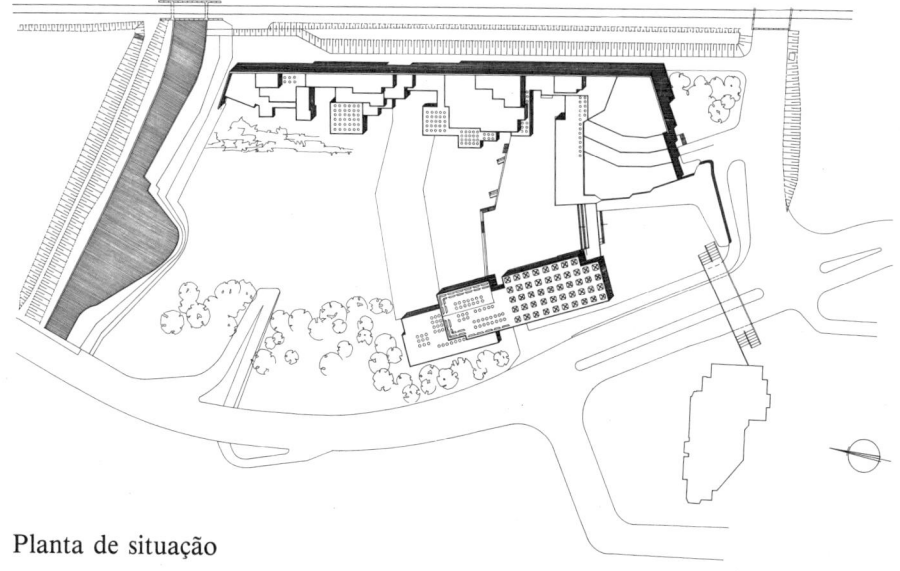

Planta de situação

1 Pavimento principal com a esplanada
2 Planta do térreo
3 Elevação na estrada de Colônia
4 Muro de proteção visto da ferrovia

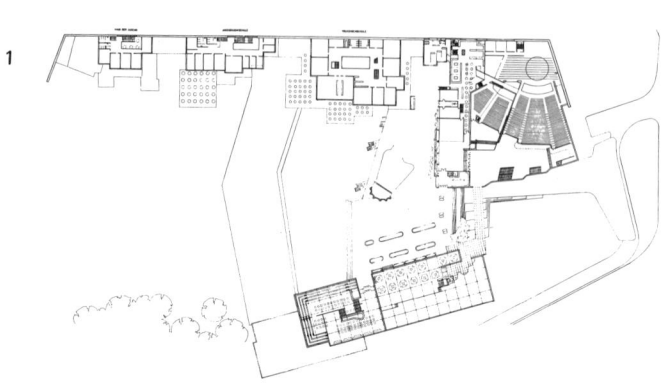

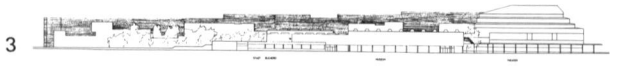

Centro da cidade, Rovaniemi
Projeto 1963   Em construção desde 1965

O centro de Rovaniemi deve ser organizado para concentrar a administração e as instituições culturais. O prédio da prefeitura e o teatro foram dispostos cada um na perspectiva de uma rua. O salão da biblioteca em forma de leque divide o espaço da praça.
Por sua altura e sua forma, o prédio propicia um toque vertical na composição horizontal.

1 Maquete, vista do prédio da prefeitura
2 Planta de situação
3 Maquete

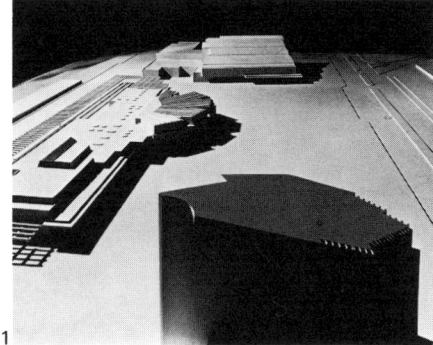

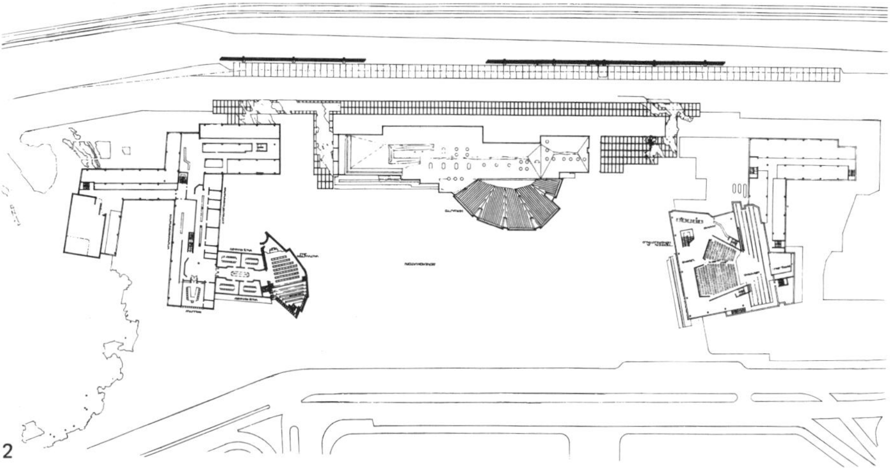

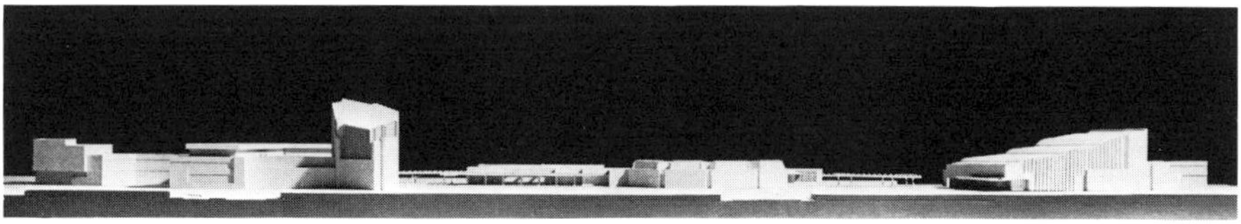

Centro administrativo e cultural, Jyväskylä
Projeto 1964   Em construção

O novo centro administrativo e cultural situa-se num quadrilátero do centro da cidade de Jyväskylä, inscrito no esquadrinhamento costumeiro de ruas de bom nível das cidades finlandesas.
O novo edifício da administração pode ser ampliado a qualquer momento. A sala do conselho sobressai do conjunto e domina a praça da prefeitura, onde há também uma grande sala de teatro destinada a atividades múltiplas. A delegacia de polícia situa-se ao longo da avenida e delimita o parque, que é dividido em duas partes distintas pelo desnível da praça da prefeitura. A zona reservada aos pedestres encontra-se, assim, claramente definida.

Maquete

1 Fachadas. À direita, a delegacia de polícia; à esquerda, a administração municipal
2 Planta do térreo com a esplanada
3 Corte da sala do conselho
4 Maquete. No primeiro plano, a administração

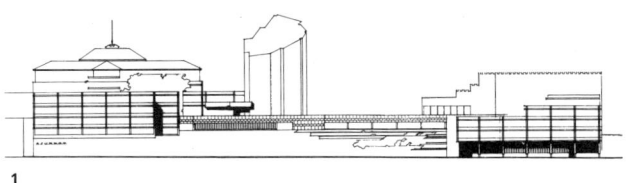

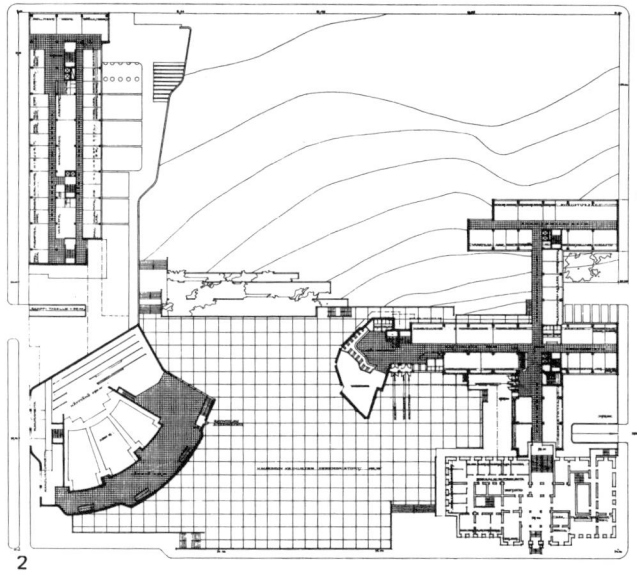

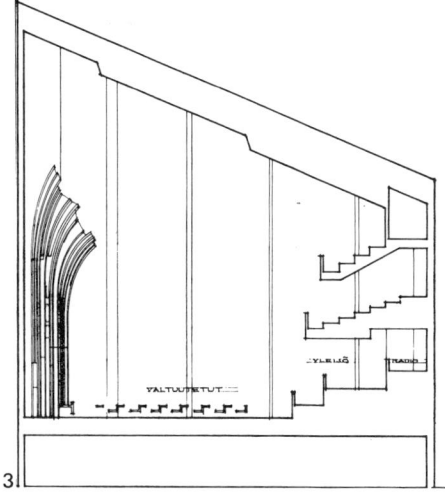

Centro administrativo e cultural, Jyväskylä
Projetos 1964, 1970, 1972
Execução: 1ª etapa 1976-1978

Este projeto desenvolve, numa terceira fase, os projetos anteriores. As idéias gerais são mais bem definidas com a grande praça, a antiga e a nova sede da prefeitura e o teatro. A área verde foi diminuída devido à ampliação dos edifícios administrativos. Os terraços que ligam a praça à área verde são destinados a concertos, festas e espetáculos. O novo edifício administrativo poderá ser construído em várias etapas.

Planta de situação da terceira etapa

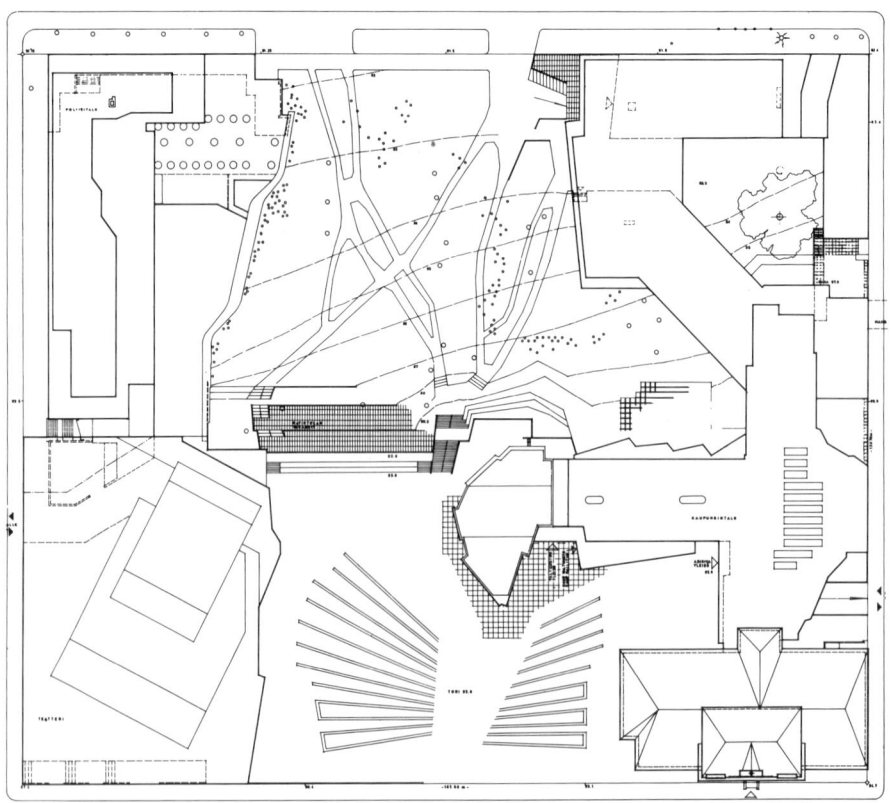

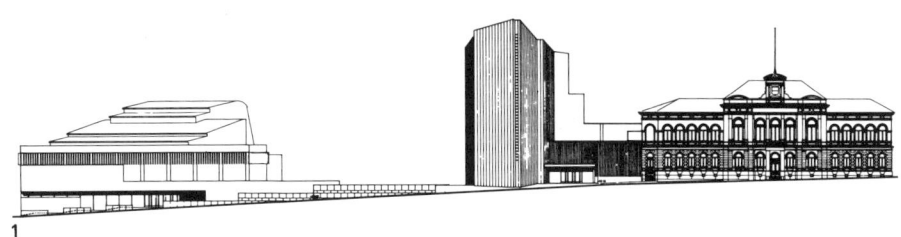

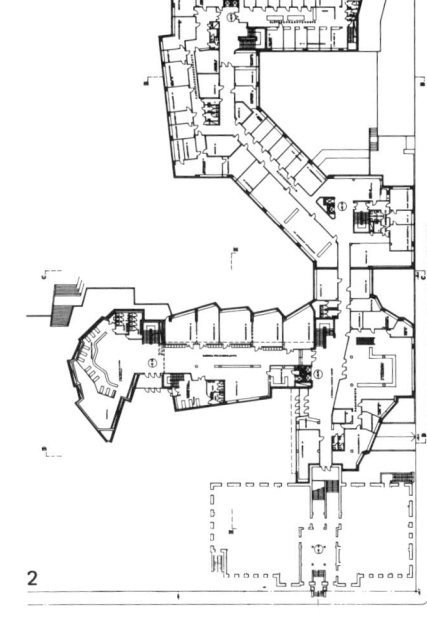

1 Fachadas dando para a praça, a antiga sede da prefeitura e o teatro
2 Térreo com a praça e a entrada do prédio do conselho e dos guichês da administração
3 Maquete

Centro urbano, Castrop-Rauxel (Alemanha)
Concurso 1965

Prevêem-se duas zonas separadas uma da outra para os pedestres, em suma, duas esplanadas distintas, e um parque de estacionamento situado à parte. A parte frontal do edifício administrativo, a prefeitura e o salão cercam a

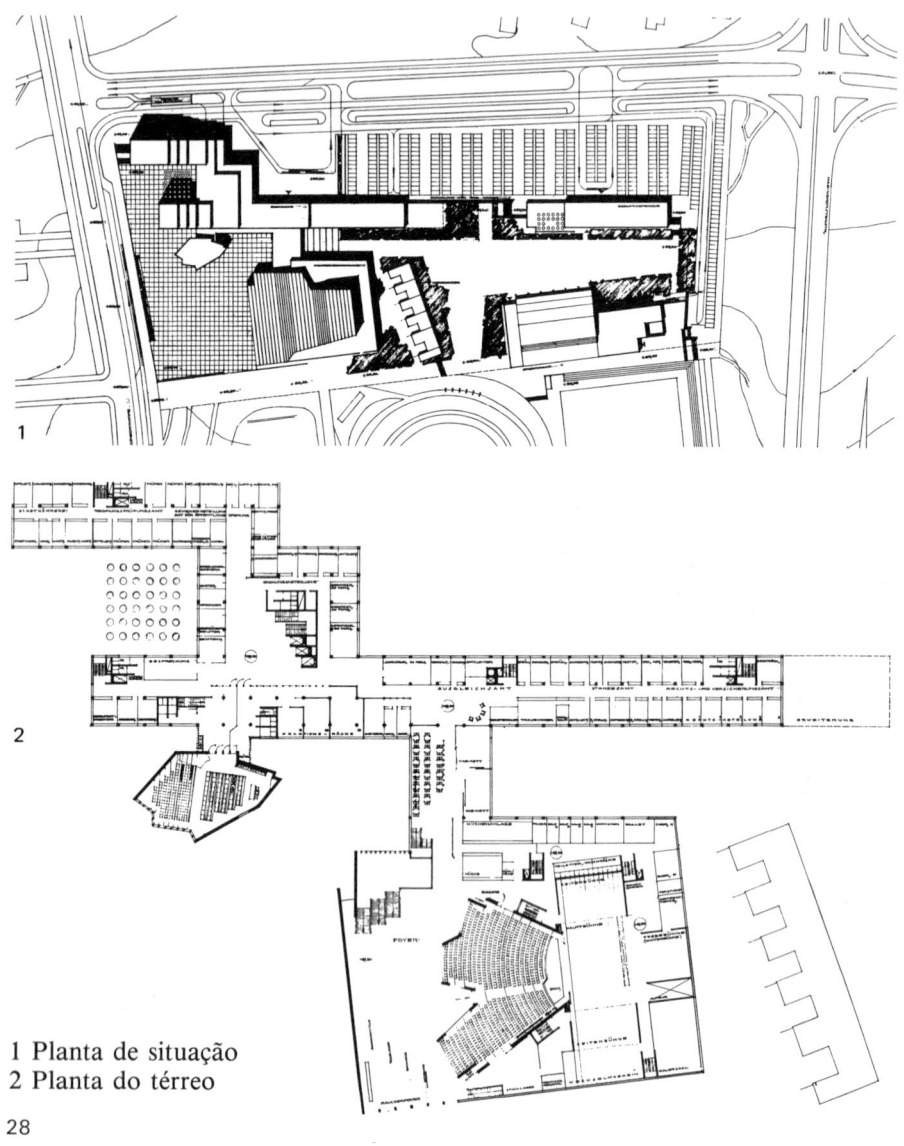

1 Planta de situação
2 Planta do térreo

praça, que se abre para a artéria principal. A praça foi construída num nível superior ao da artéria e encontra-se ligada a ela por uma rampa. A outra praça, que dá para o centro esportivo, o estádio e o centro sanitário, é oval. As habitações propostas estão localizadas fora da composição central.

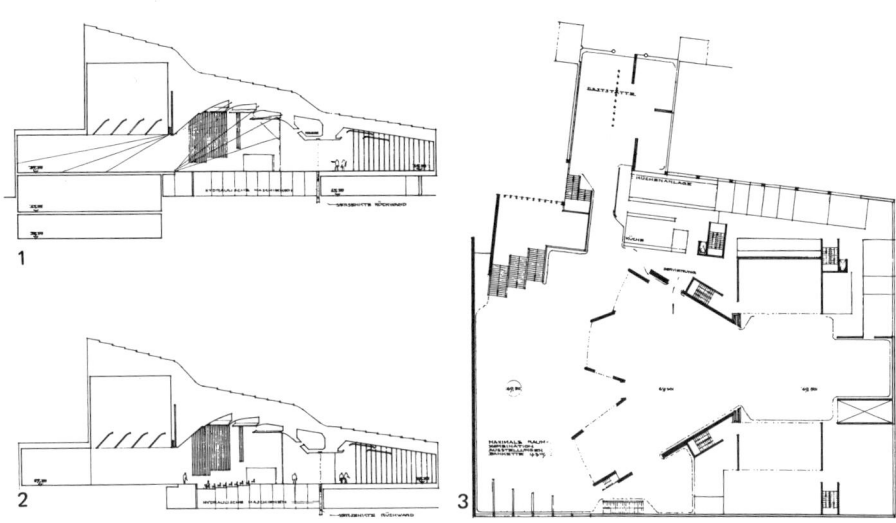

1 O salão com os painéis
2 Variante para exposições e uma pequena sala de conferências
3 A planta e os cortes da sala mostram as várias possibilidades de utilização. A sala e o palco são representados por vários painéis regulares que podem ser montados ou retirados à vontade
4 Fachada oeste, vista da artéria principal; à direita, o salão
5 Fachada sul

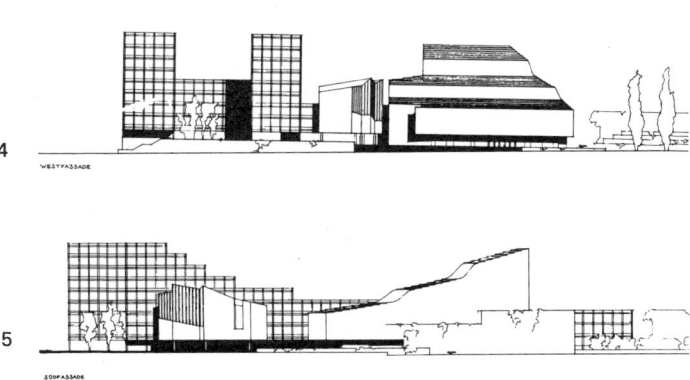

Conjunto habitacional, Pávia (Itália)
Projeto 1966

Uma cidade-satélite para 12.500 habitantes deve ser construída na periferia da cidade de Pávia. A auto-estrada Milão-Roma atravessa o grande terreno de 970.000 m², que, ao sul, chega ao rio Tessin. Em virtude da proximidade da

A planta de situação. A organização se opera paralelamente à auto-estrada; no meio, a via transversal reservada aos pedestres. As vias para automóveis seguem as linhas curvas, mas de maneira descontínua, sem abranger todas as curvas, a partir de duas rotatórias a leste e a oeste do terreno. Esse sistema contribui para separar os automóveis dos pedestres.

auto-estrada, a disposição das habitações obedeceu a considerações análogas às dos dormitórios do M.I.T., na Universidade de Cambridge (Mass.), no sentido de que as formas curvas fazem com que não haja vista direta para a estrada movimentada. Partindo do elemento de uma casa, o conjunto foi estendido para um modulado geral.

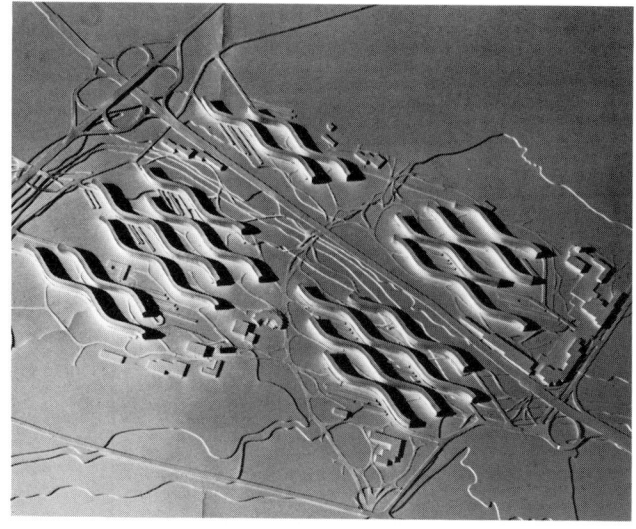

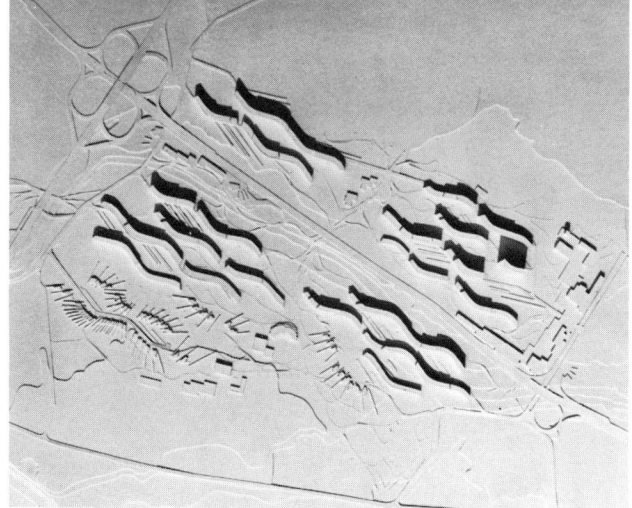

1 Maquete do primeiro projeto com o modulado inalterado
2 Maquete com a modificação do modulado e dos corpos de edifícios diferenciados na altura e no comprimento, inclusive as casas para uma família.

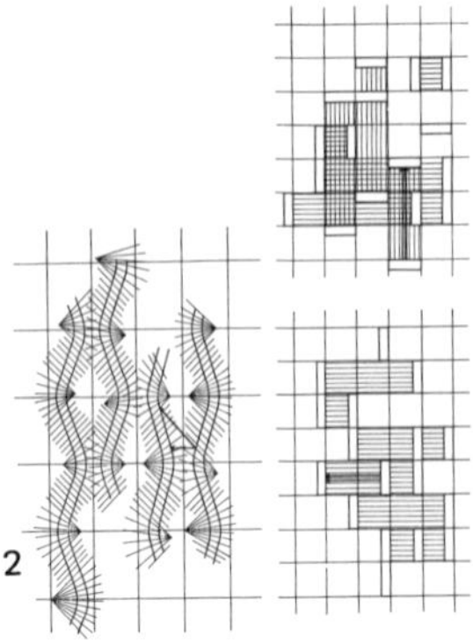

1 Detalhe de um grupo de casas. Deslocando os traçados curvilíneos, produz-se um espaço interior, parcialmente coberto. Os pedestres podem caminhar pelo subsolo
2 Esquema comparativo entre o modulado retangular com as casas isoladas e o traçado curvilíneo
3/4 Vistas da maquete do leste e do oeste

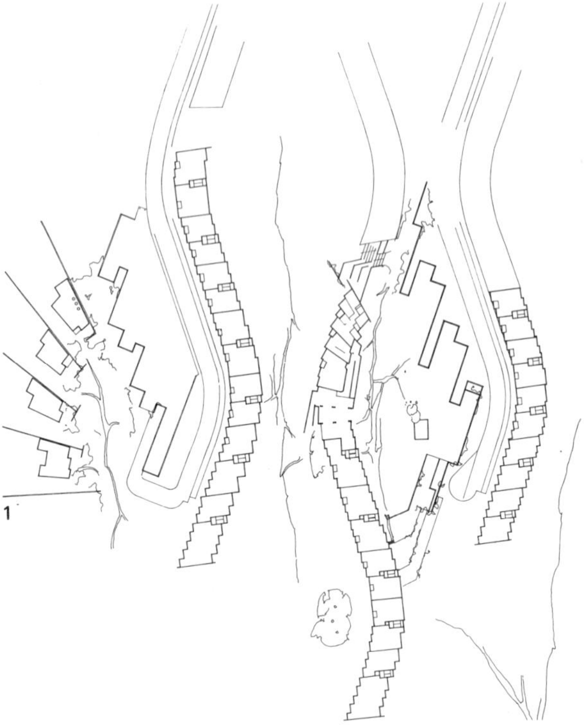

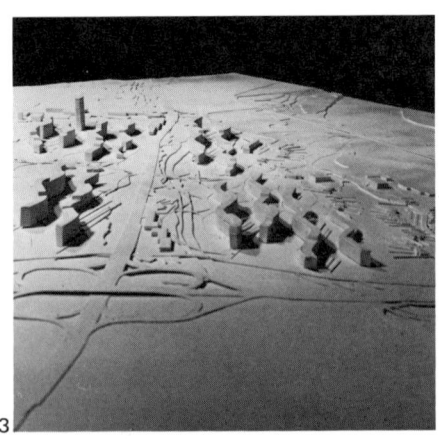
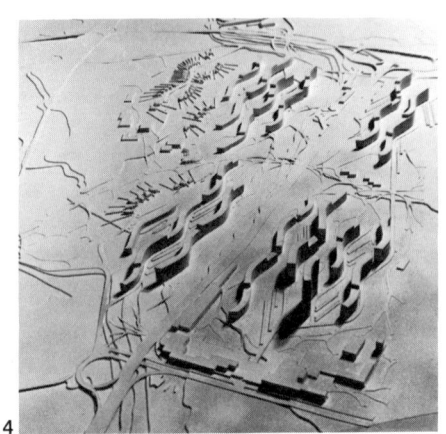

TEATROS E EDIFÍCIOS CULTURAIS

Teatro finlandês, Turku
Concurso 1927   Fim dos trabalhos 1929

O teatro, rodeado de lojas e escritórios, forma uma parte de um grande conjunto, e destina-se às representações teatrais. Por isso não foi concebido para manifestações musicais.
A sala é um cubo muito simples sem nenhuma decoração. As paredes e o teto são em estuque azul escuro. Os lampadários dourados em suportes verticais formam os únicos elementos decorativos da sala.
Os projetores foram colocados numa espécie de cúpula cônica, cujo traçado obedece ao feixe luminoso. Os assentos e as laterais das escadarias são forrados de tecido cinza e rosa.

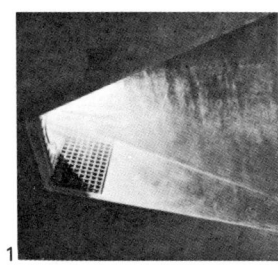

1 Projetores
2 Sala

Teatro e sala de concertos, Kuopio
Concurso 1951   Não realizado

Kuopio, cidade do interior da Finlândia central, tem uma bela sede de prefeitura que data de meados do século XIX.
O projeto previa um teatro e uma sala de concertos que preencheriam o espaço vazio atrás do edifício existente. Segundo essa disposição, haveria uma segunda praça pública fazendo par com a praça do mercado que se encontra em frente à prefeitura. O edifício foi projetado para o canto do terreno em declive, de maneira a criar um anfiteatro assimétrico sem escada, com uma circulação interior num único plano.

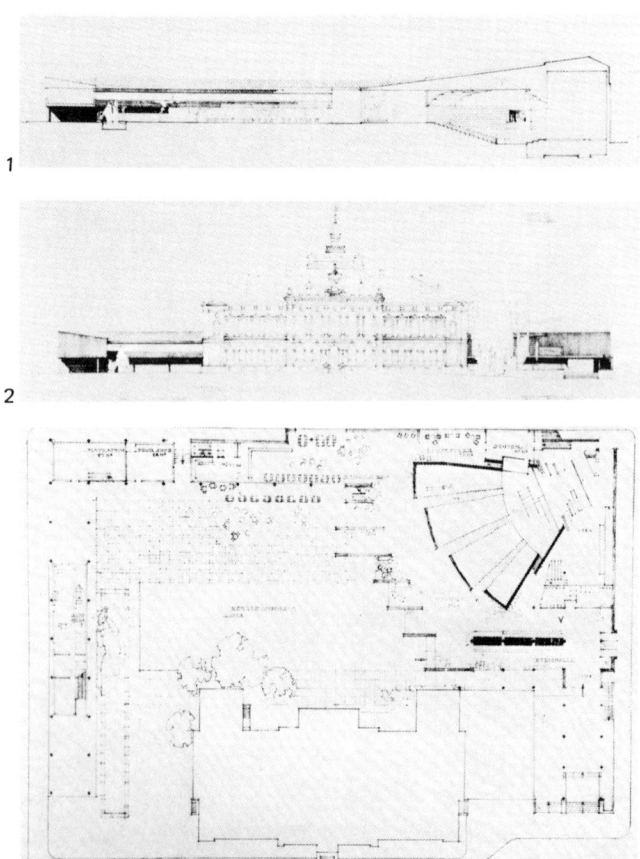

1 Corte da sala
2 Fachada da prefeitura
3 Plano geral. À direita, a sala

"Casa da cultura", Helsinki
Projeto e construção 1955-1958

Essa casa, chamada "Kultuuritalo", é o centro das diversas associações operárias.

A intenção era criar um salão de festas para dar concertos e sediar congressos.

A acústica devia, portanto, convir tanto às manifestações musicais quanto aos discursos, daí a concha de concreto revestida de madeira e tijolo. A forma das paredes e do teto foi estudada visando à absorção da reflexão das ondas sonoras.

O interior é trabalhado de forma a que a ordem geral não seja alterada quando for necessário mudar a disposição das paredes segundo o maior ou menor número de ouvintes.

O aspecto assimétrico da face exterior do anfiteatro se explica pelos dados do interior.

O edifício forma uma massa monolítica de curvas variadas, cujas linhas são o resultado de experiências com o tijolo, que forma o elemento constitutivo tanto das formas côncavas como das convexas.

Auditório com a marquise na entrada

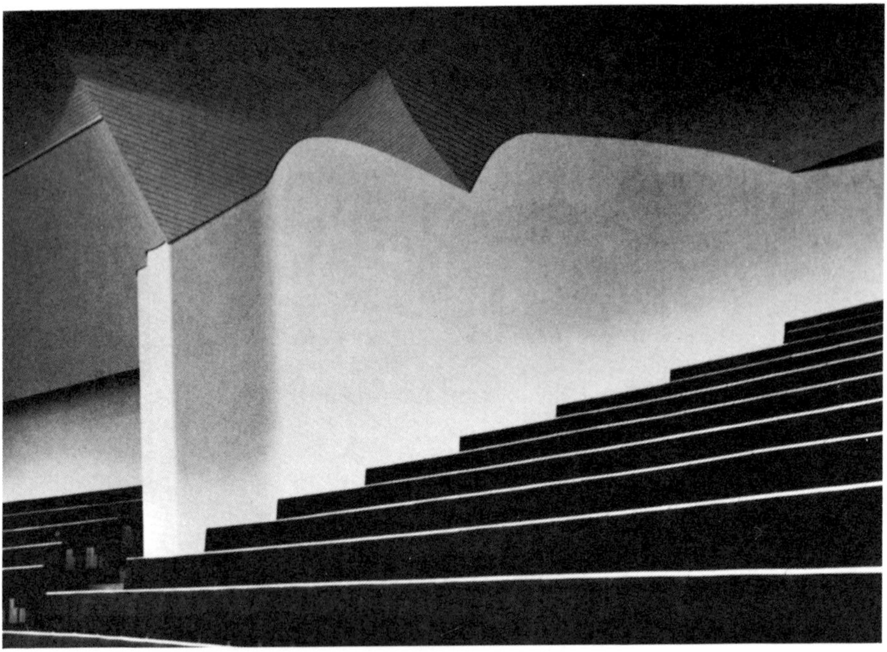

1

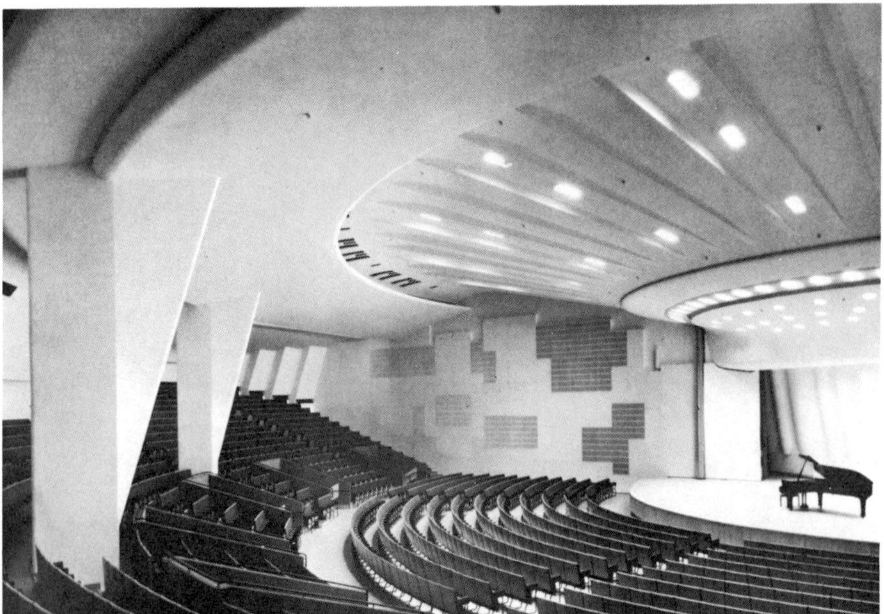

2

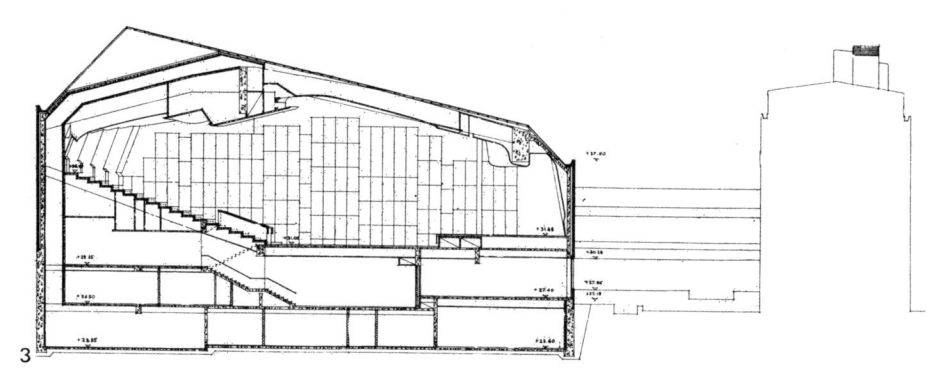

1 Auditório com a marquise na entrada
2 O grande auditório, vista do interior. As paredes são tratadas especialmente para melhorar a acústica
3 Corte do grande auditório
4 Planta do grande auditório com o escritório

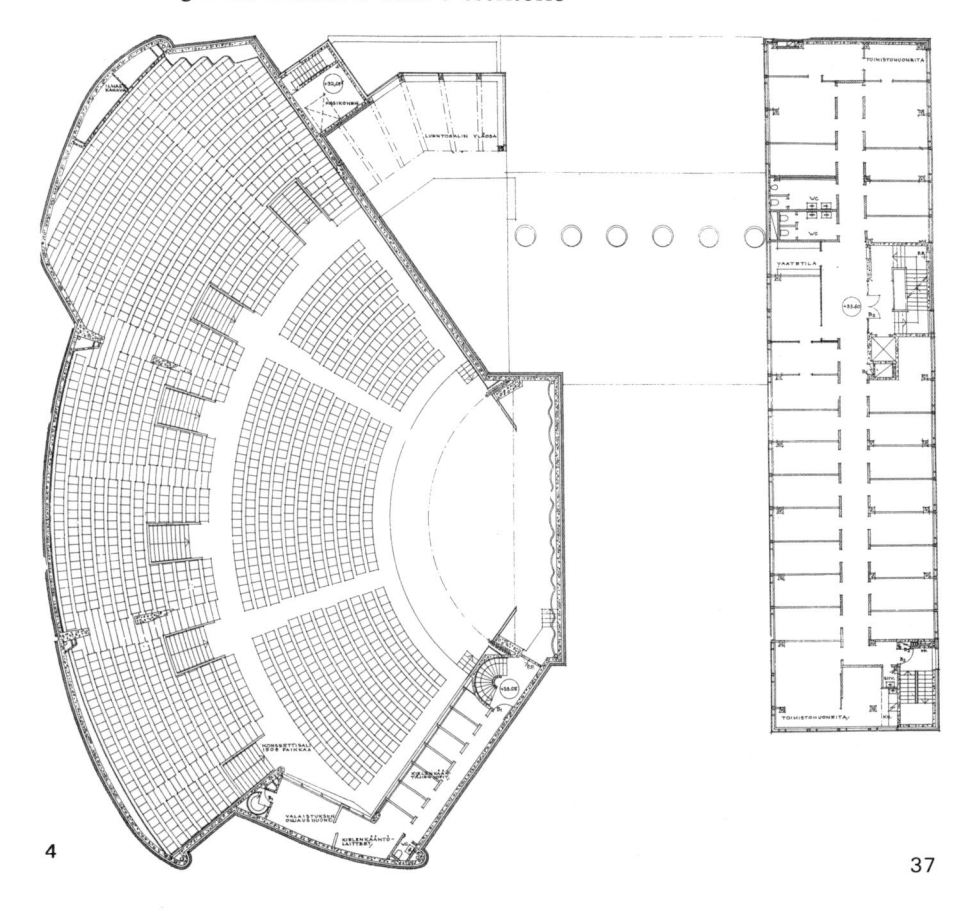

1 Vista da fachada
2 O grande auditório: vista externa

Centro cultural, Wolfsburg (Alemanha)
Concurso 1958   Construção 1959-1962

O centro cultural de Wolfsburg é uma primeira etapa da construção de um conjunto cuja organização definitiva ainda não está especificada.
Encontra-se na praça da prefeitura, o que indica que ele se beneficia do patronato das autoridades municipais.
Esse centro tem como objetivo a criação de um local de atividade intelectual que contrabalance com a vida laboriosa e monótona de uma cidade industrial e que proporcione um pouco de lazer. Embora não seja ao ar livre, pretende lembrar a ágora da antiguidade helênica.
O edifício principal divide-se em quatro setores reunidos sob um mesmo teto: 1. a biblioteca municipal, inserida numa pequena universidade popular; 2. os salões de jogos; 3. os clubes; 4. os salões e a cobertura para as grandes reuniões. Esses setores se comunicam entre si.

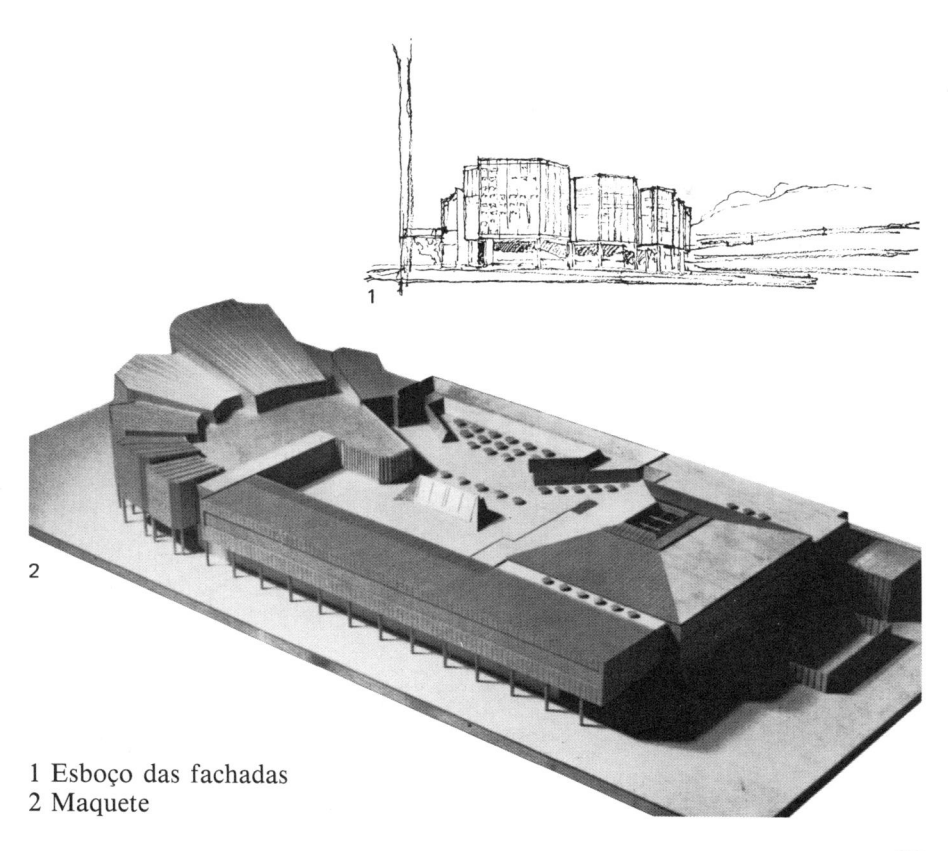

1 Esboço das fachadas
2 Maquete

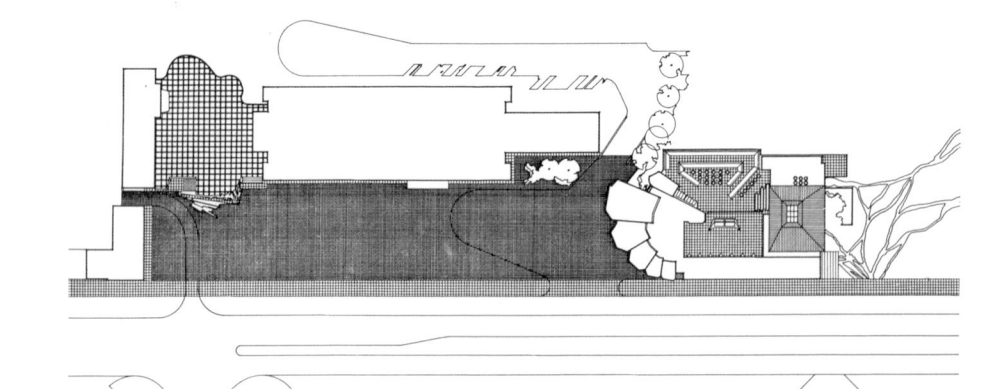

1 Planta de situação
2 Vista do pátio interno do primeiro andar a partir da prefeitura
3 Volumes dos salões de conferências orientados para a praça da prefeitura
4 Vista do pátio interno, que dá para o centro da juventude
5 Corte longitudinal. No térreo, o *foyer*, a sala polivalente e a sala de estar do centro da juventude. No andar de cima, o salão de conferências, o pátio interno e o ateliê da juventude

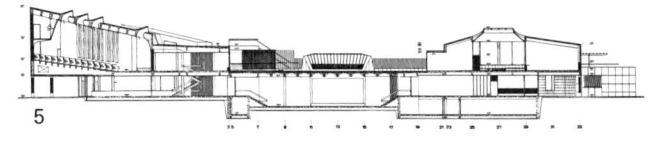

6 Andar superior.
À esquerda, os auditórios da universidade popular; à direita, os ateliês e os salões do clube; no centro, o pátio destinado a manifestações diversas

7 Planta da entrada. À esquerda, os acessos à biblioteca e aos auditórios; à direita, as entradas da casa da juventude, a biblioteca infantil e as habitações. Sob as arcadas, as lojas que dão para a avenida

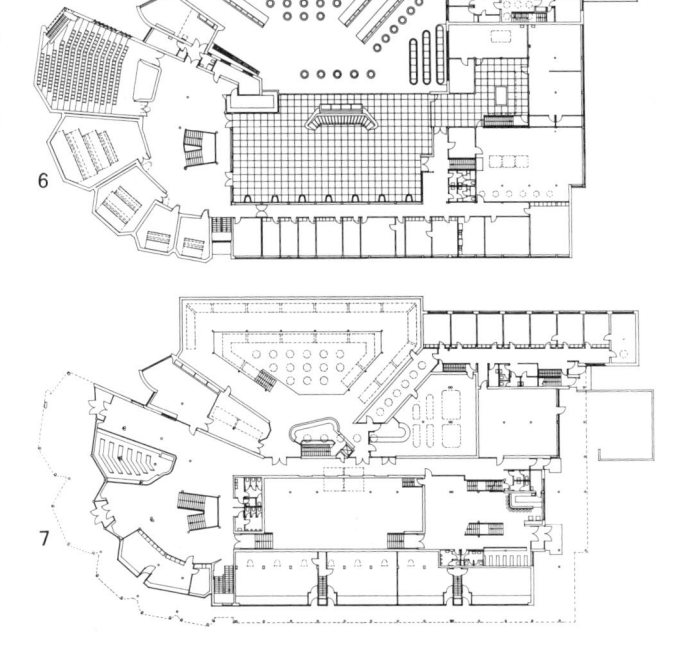

1 O grande *foyer* com a escada dando para os salões de conferências
2 Biblioteca
3 O espaço livre do ateliê do centro da juventude. O teto pode ser inteiramente aberto no verão
4 O fundo do salão com a cabine do operador

Ópera, Essen (Alemanha)
Concurso 1959 (1º prêmio)   Projeto 1961-1964

O teatro da ópera está situado num grande parque. A circulação dos automóveis e a dos pedestres são inteiramente separadas. A entrada principal é concebida para abrigar grande número de automóveis sob a marquise.

A sala tem a forma de um anfiteatro irregular com uma parede ondulada ao fundo, compreendendo os camarotes e os balcões. A assimetria da disposição deve dar a impressão de que a sala, mesmo quando não inteiramente ocupada, não está vazia.

A sala tem duas características essenciais: um espaço abobadado, de cor anil, sem arranjos especiais, construído para recepcionar, e superfícies absorventes ou reverberantes (de cor escura). A parede dos camarotes forma um contraste marcante com essas cores, pois é revestido de mármore branco, vazado ou inteiriço.

Planta de situação

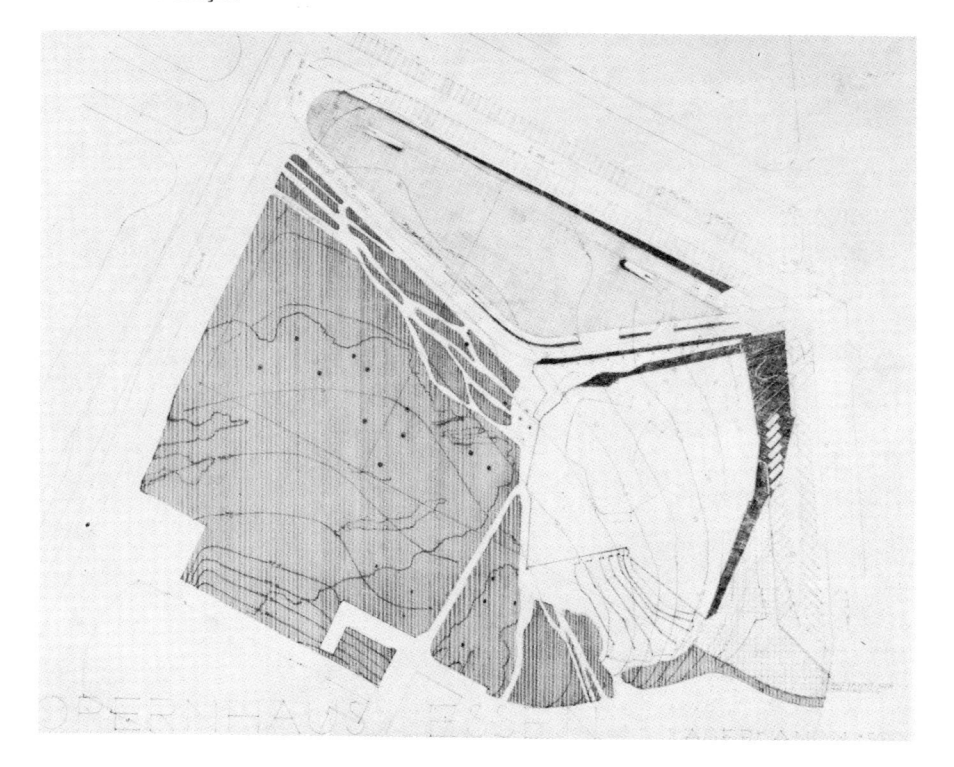

1

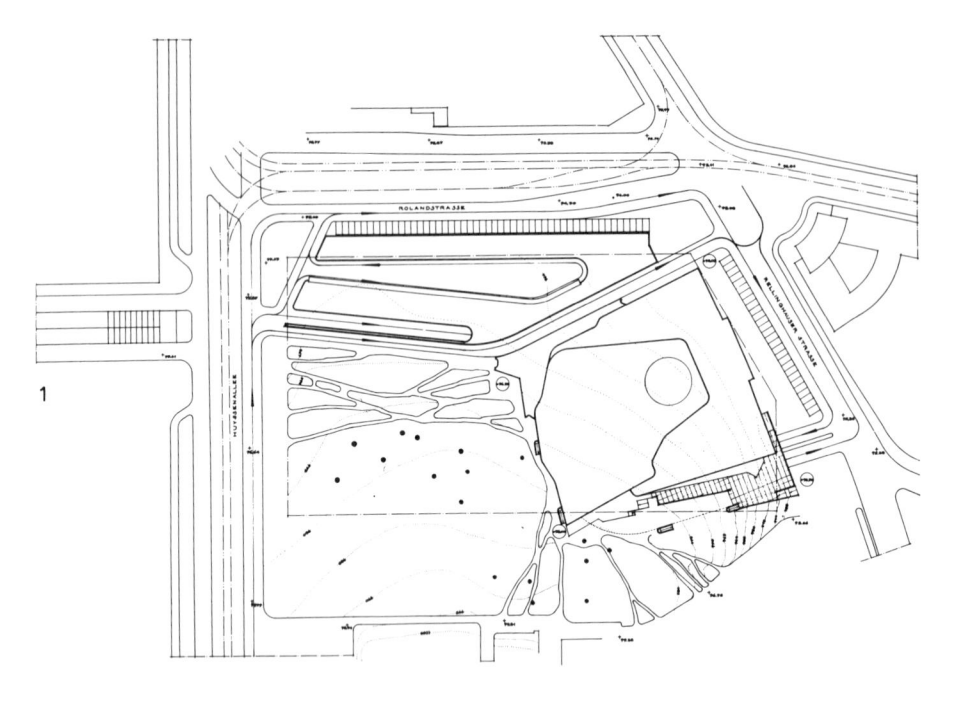

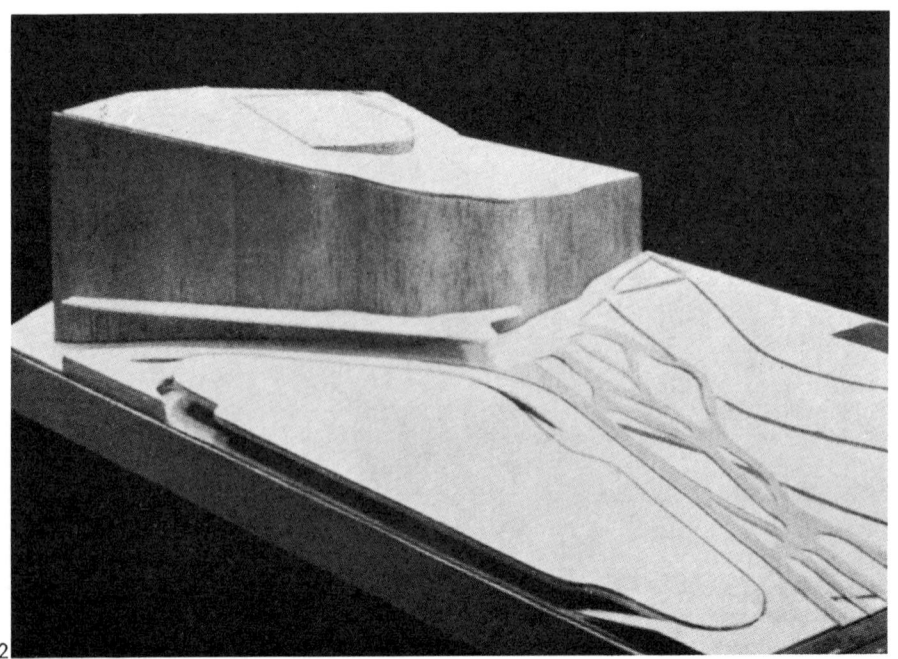

2

44

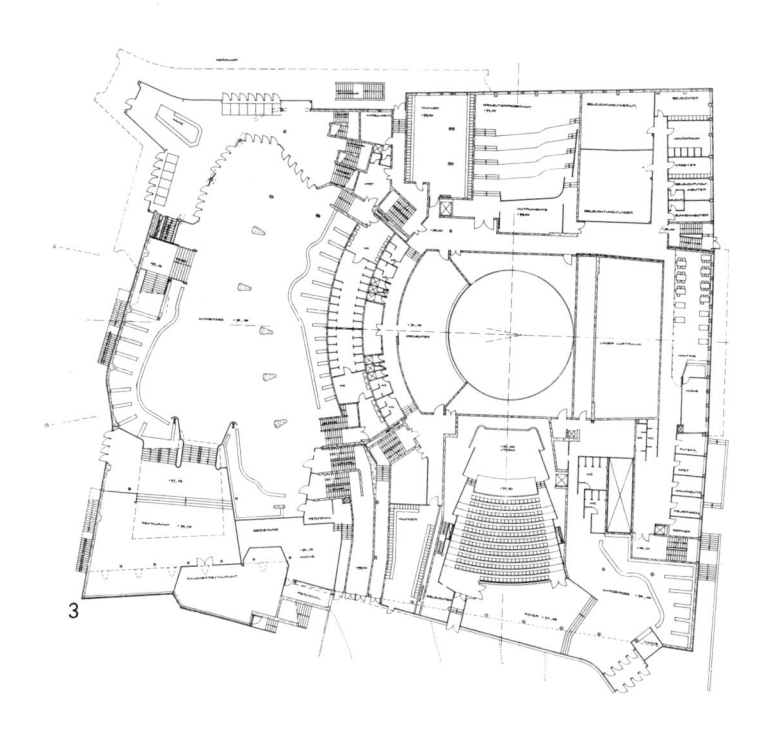

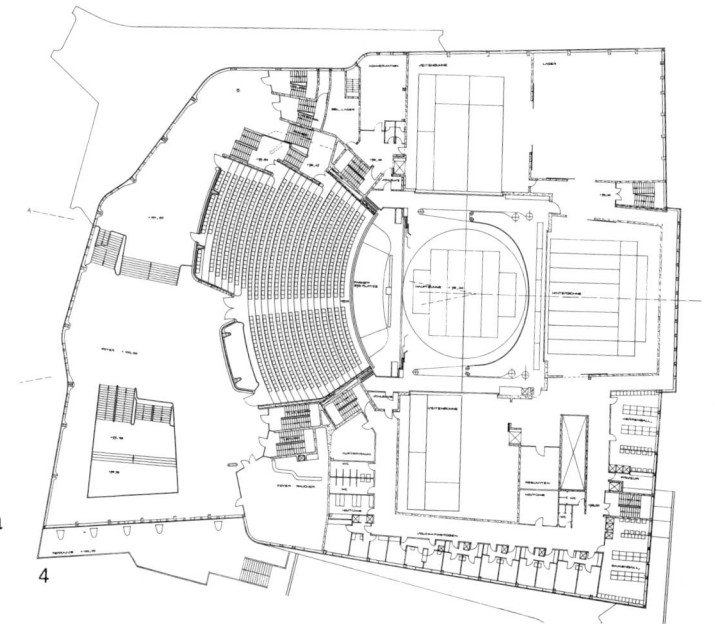

1 Planta de situação
2 Maquete
3 O térreo com os vestiários e o palco para ensaios
4 Sala com o grande *foyer*

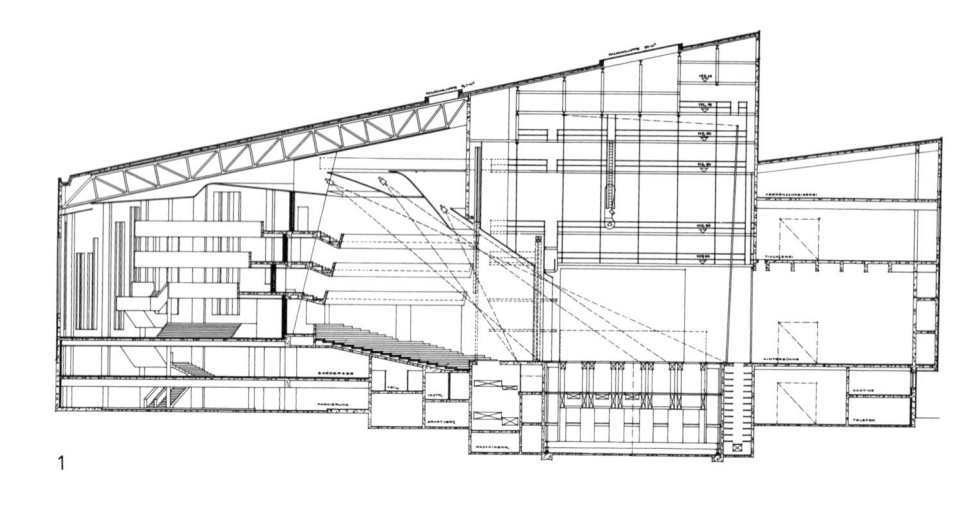

1 Corte da sala
2 Sala e *foyer*, esboço
3 Maquete com o detalhe do baixo-relevo previsto
4 Maquete com a vista do grande *foyer* e das fileiras superiores

3

4

Casa do Norte, Reykjavik (Islândia)
Projeto 1962-1963   Construção 1965-1968
Esse edifício é um pequeno palácio de convenções.
Trata-se de uma doação de todos os governos dos países nórdicos. Há um salão de conferências e de exposições, uma biblioteca com uma coleção nórdica, muitas salas de clube e um café.

1 Planta de situação
2 Vista da fachada da entrada

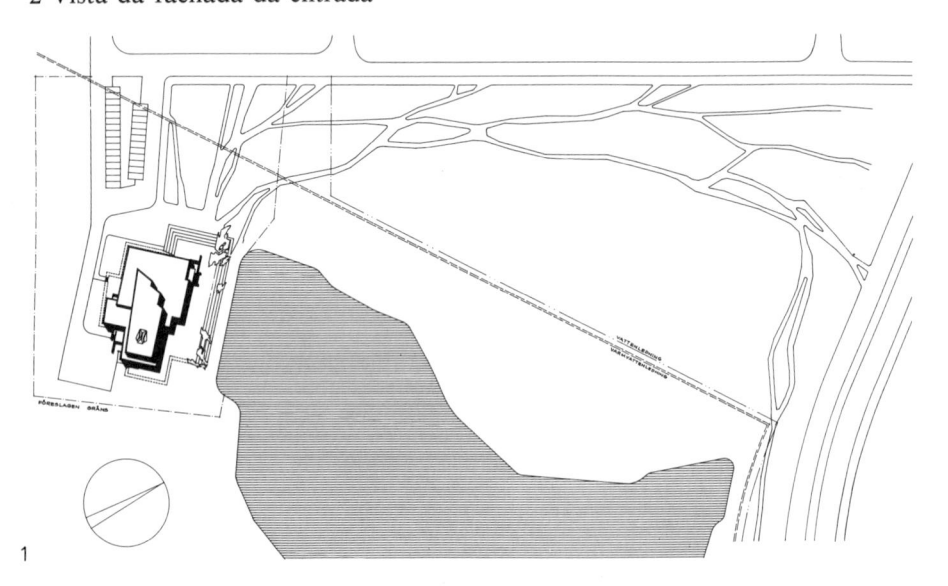

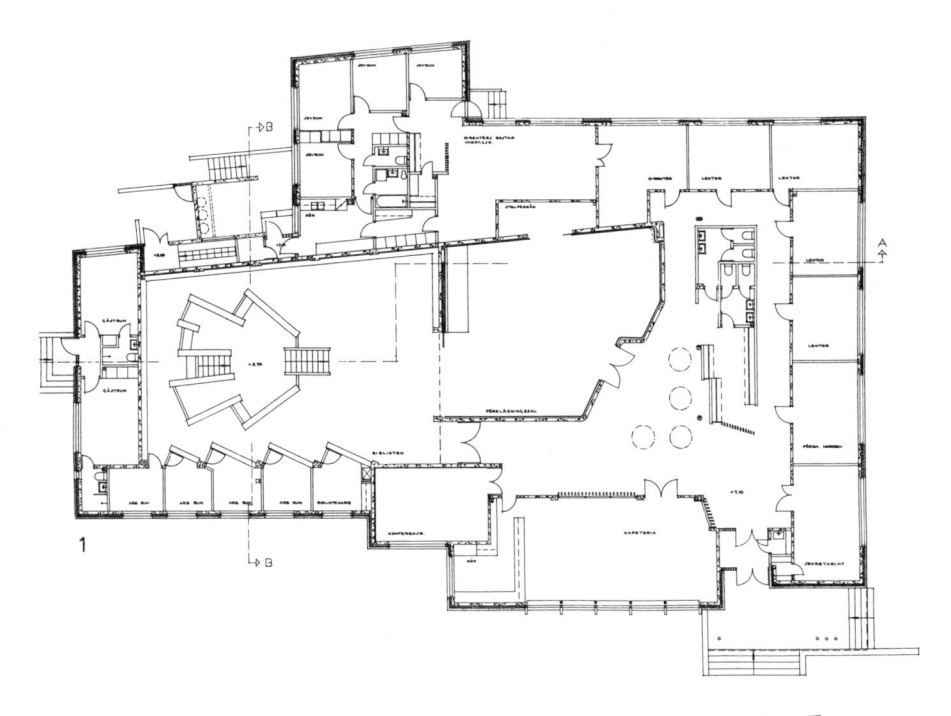

1 Planta
2 Corte longitudinal
3 Saguão
4 Biblioteca

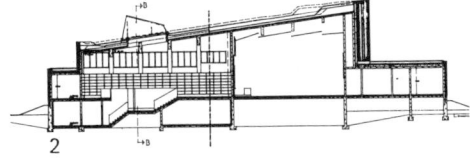

Palácio de convenções com sala de concertos, Helsinki
Projeto 1962   Construção 1967-1971

O edifício faz parte do novo centro urbano e se encontra próximo de grandes terraços em leque. As árvores existentes foram mantidas. A circulação dos pedestres estende-se ao longo do parque Hespéria, entre a avenida Mannerheim e a sala de concertos.

O programa prevê um grande salão de 1.750 lugares, uma sala de 350 lugares para música de câmara e um restaurante subdivisível de 300 lugares.

As salas de concertos são inteiramente separadas da estrutura de concreto, com conexões fônicas que descem até as fundações de maneira a obter um isolamento perfeito de qualquer ruído exterior.

As fachadas são revestidas de mármore branco e de granito negro.

Planta de situação

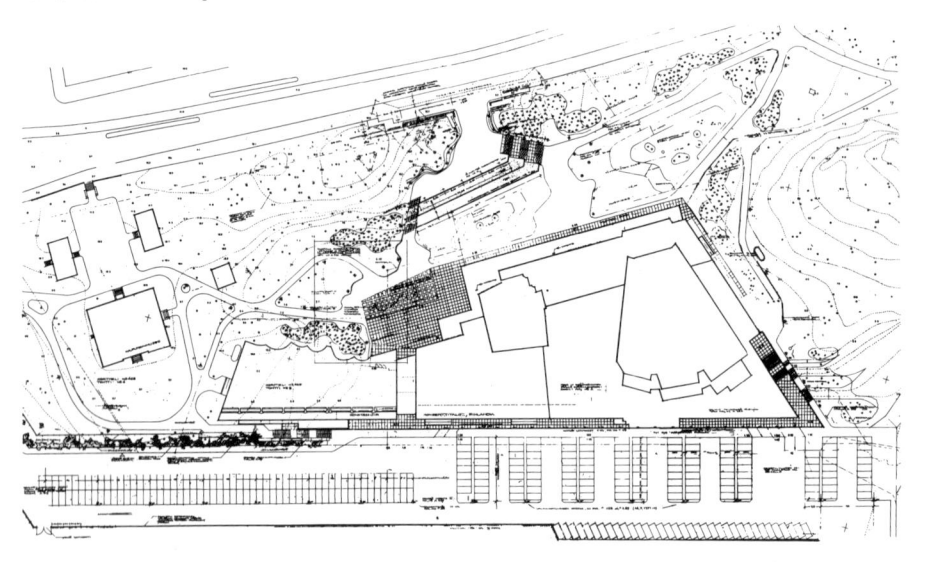

1 Vista do lago Töölö
2 Esboço da planta do nível da sala de concertos

1

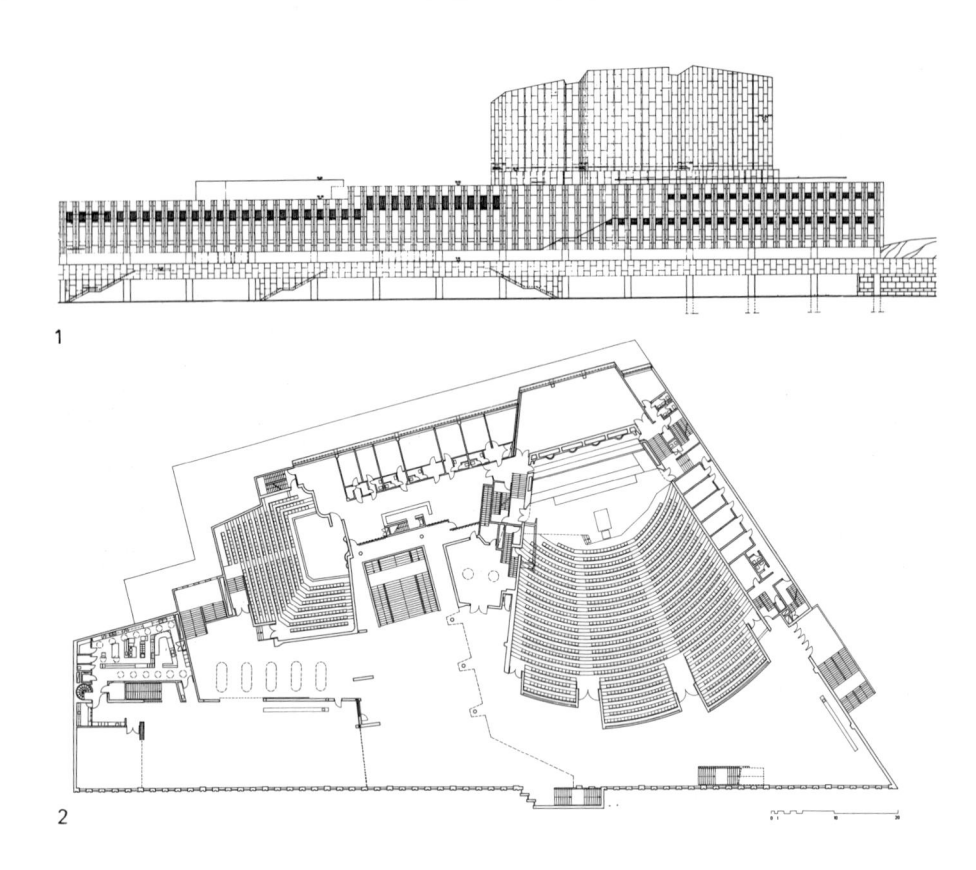

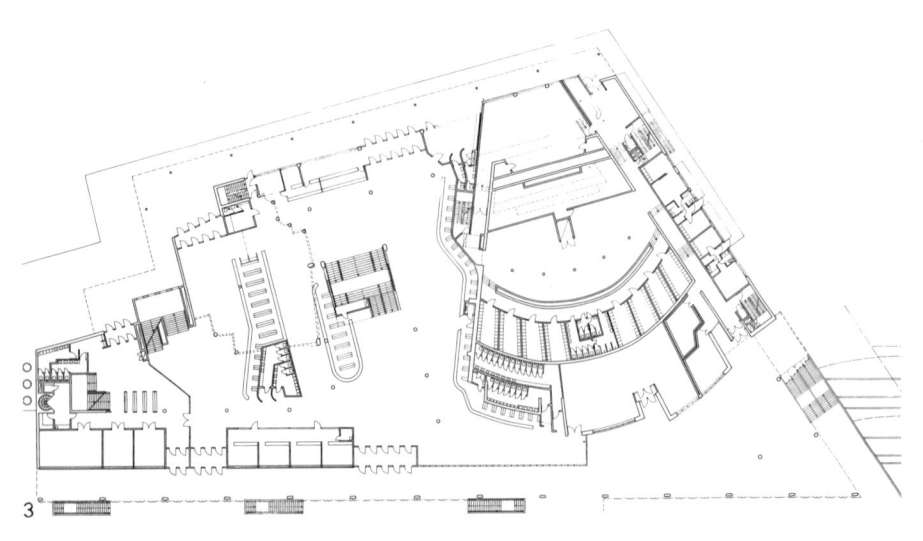

2

3

52

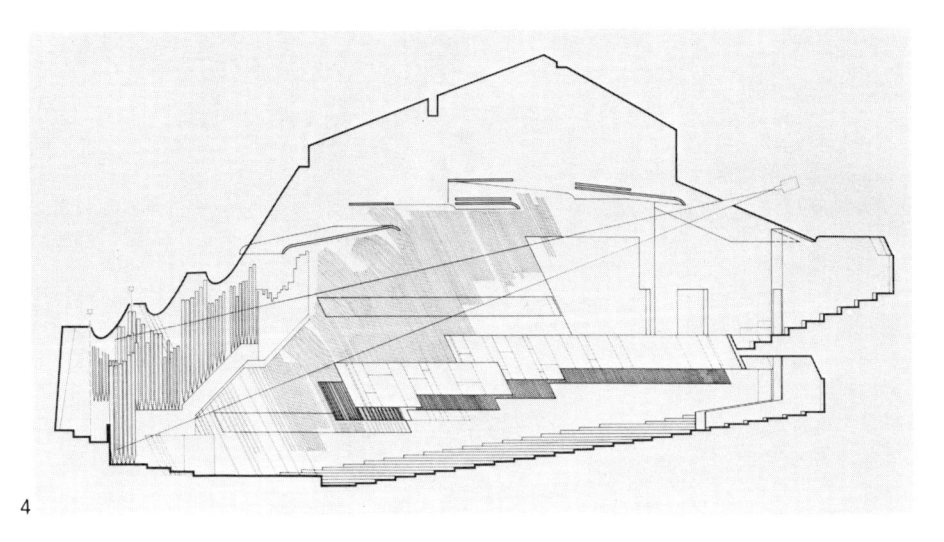

1 Elevação
2 Pavimento das salas
3 Térreo. Cada um dos três setores possui uma entrada separada no lado comprido do edifício
4 Corte transversal e vista do interior
5 Salão de concertos

1 Sala de música de câmara
2 Vista do conjunto
3 Detalhe do teto e da parede do grande salão de concertos
4 Detalhe da fachada

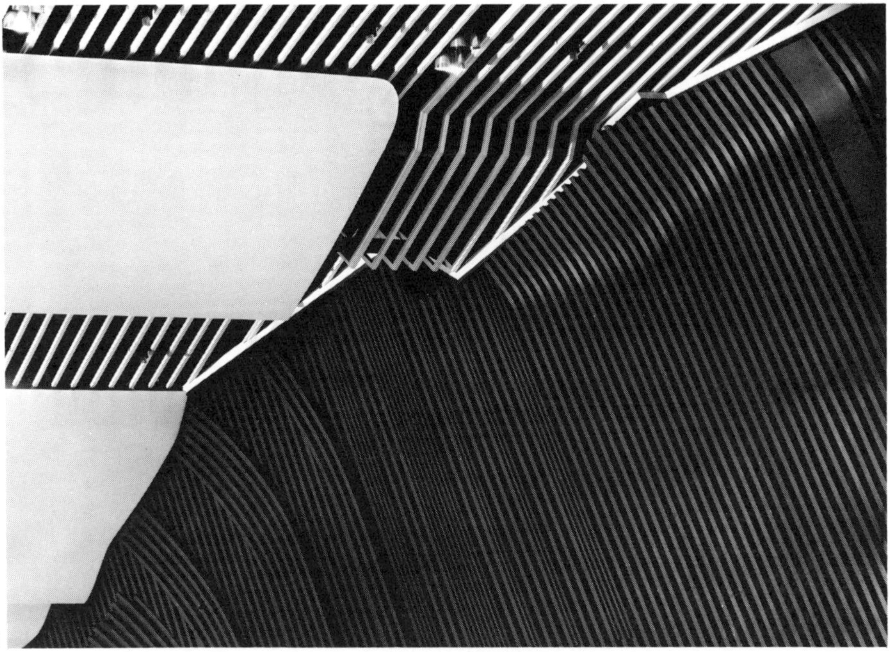

3

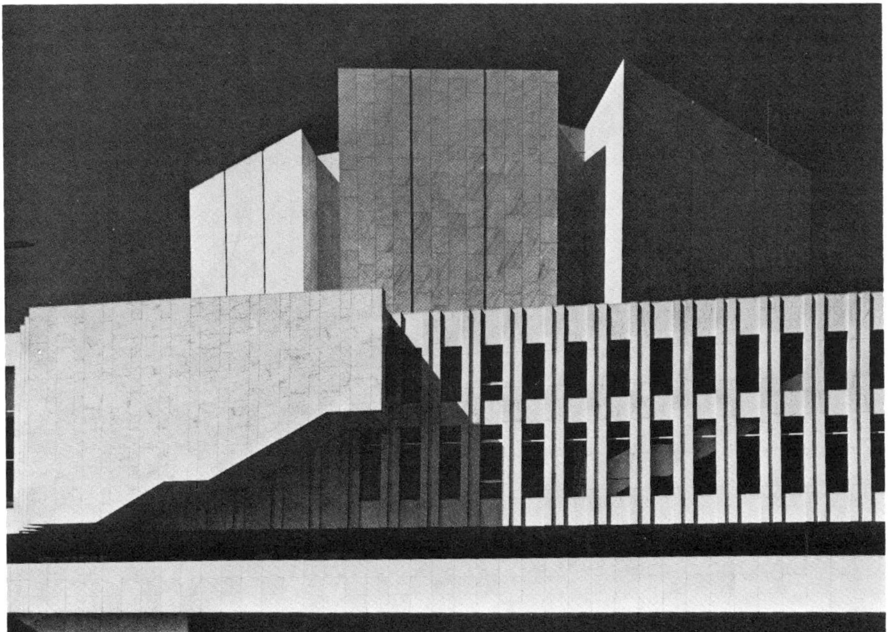

4

1 Detalhe do *foyer* da sala de concertos
2 Detalhe do *foyer* da sala de concertos com o alto da escadaria

Palácio de convenções "Finlândia", Helsinki
Projeto 1970   Execução 1973-1975

A ala dos congressos forma uma unidade independente da sala de concertos; foi acrescentada numa segunda etapa. O acesso ocorre pela área verde, pela avenida Mannerheim. A sala de convenções e a sala de concertos podem ser unidas por ocasião de determinadas manifestações. O restaurante tem uma entrada independente, mas pode ser alcançado também pelas duas salas.
A comunicação entre a ala das convenções e o museu será realizada numa etapa posterior.

Fachada oeste

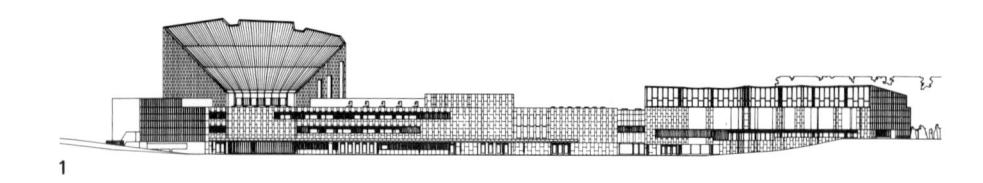

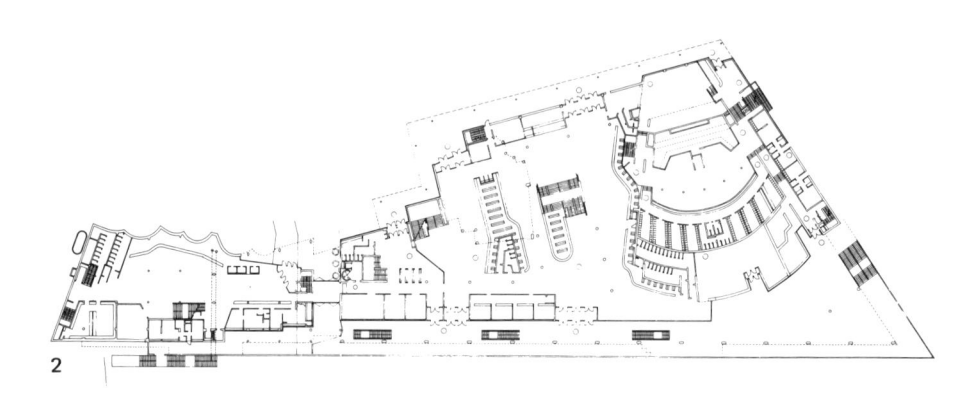

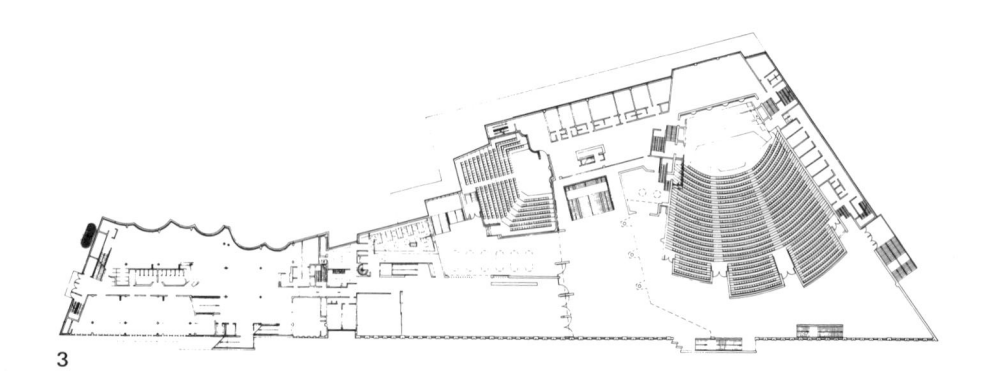

1 Fachada da entrada; à direita, a ala dos congressos
2 Térreo
3 Pavimento do auditório e das salas de conferências, com o restaurante

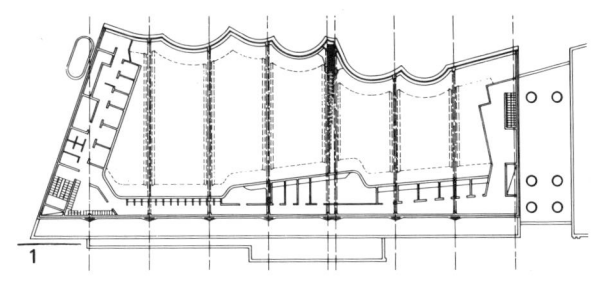

1 Planta mostrando as cabines dos tradutores
2 *Foyer*
3 Detalhe da fachada leste

1/2 Detalhe da sala de convenções com 300 lugares; subdivisão possível

Centro cultural, Siena (Itália)
Concurso 1966

Um lugar excepcional foi escolhido para o novo centro cultural de Siena: o pátio cercado pelas muralhas de uma antiga fortaleza barroca.
A dimensão das fortificações expandiu o núcleo medieval da cidade. O célebre "Campo" poderia facilmente ocupar o espaço das fortificações.

1 Primeiro croquis
2 Planta de situação do novo centro cercado pelas muralhas das fortificações existentes

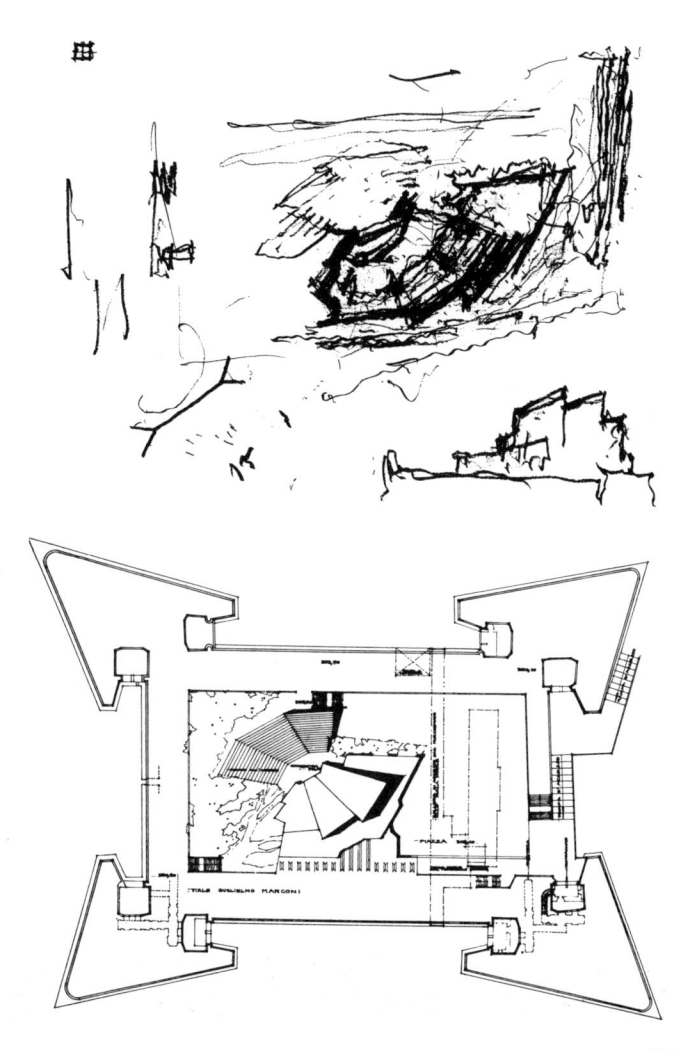

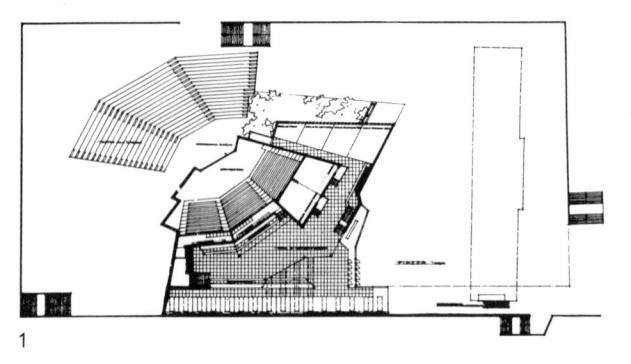

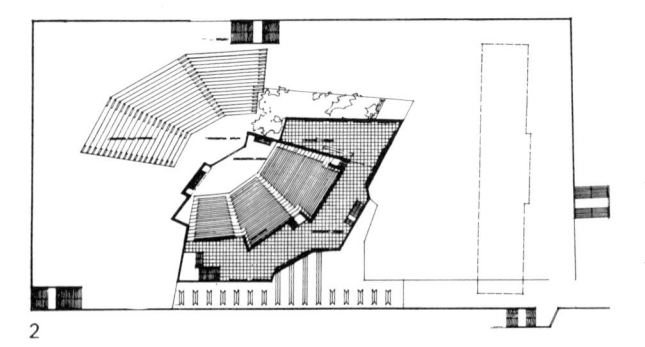

1 Planta do térreo. O fundo do palco deve poder se abrir para permitir apresentações ao ar livre
2 Pavimento do *foyer*
3 Corte. O pátio será parcialmente preenchido até a altura das ameias
4 Elevação longitudinal. As paredes brancas e lisas formarão um contraste nítido com a velha pedra da fortaleza

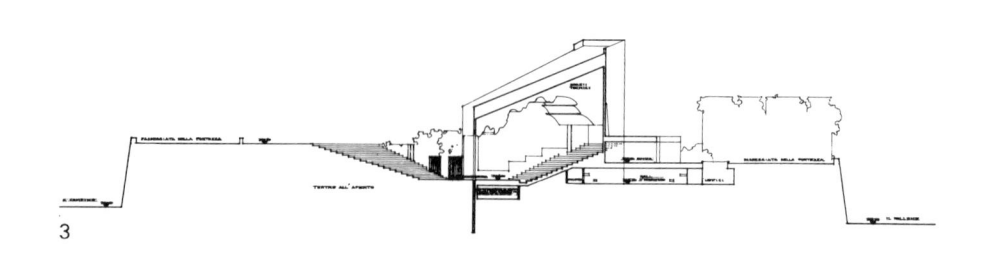

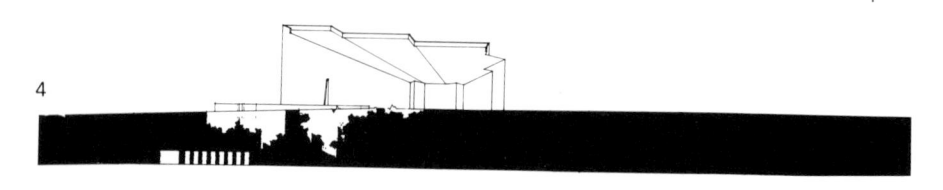

Teatro, Wolfsburg (Alemanha)
Concurso 1966

A tarefa mais importante consistia em incorporar o edifício à cidade. O grande cruzamento separa o centro cultural, já construído, e a praça da prefeitura.
A posição do teatro é levemente oblíqua em relação ao eixo da avenida principal.
O espaço diante do teatro forma o contraponto com a colina que se encontra atrás e delimita a cidade.
Os acessos dos pedestres se encontram parte sob a avenida, parte sobre ela.

1 Croquis. Corte e teatro visto da grande avenida com a colina ao fundo
2 Planta de situação

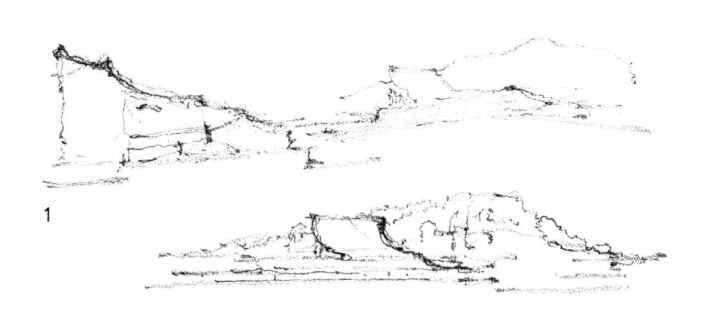

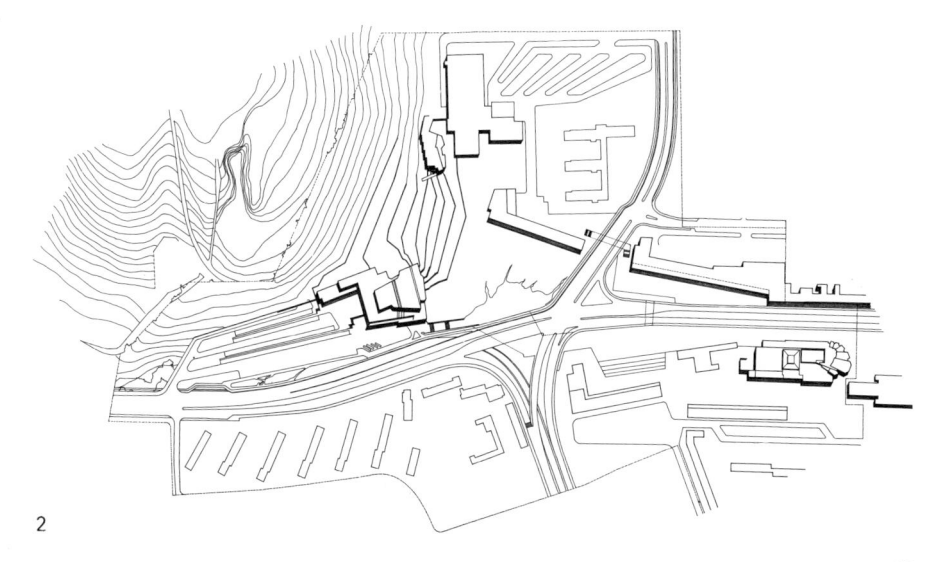

1 Planta do térreo
2 Planta do andar principal
3 Fachada longitudinal

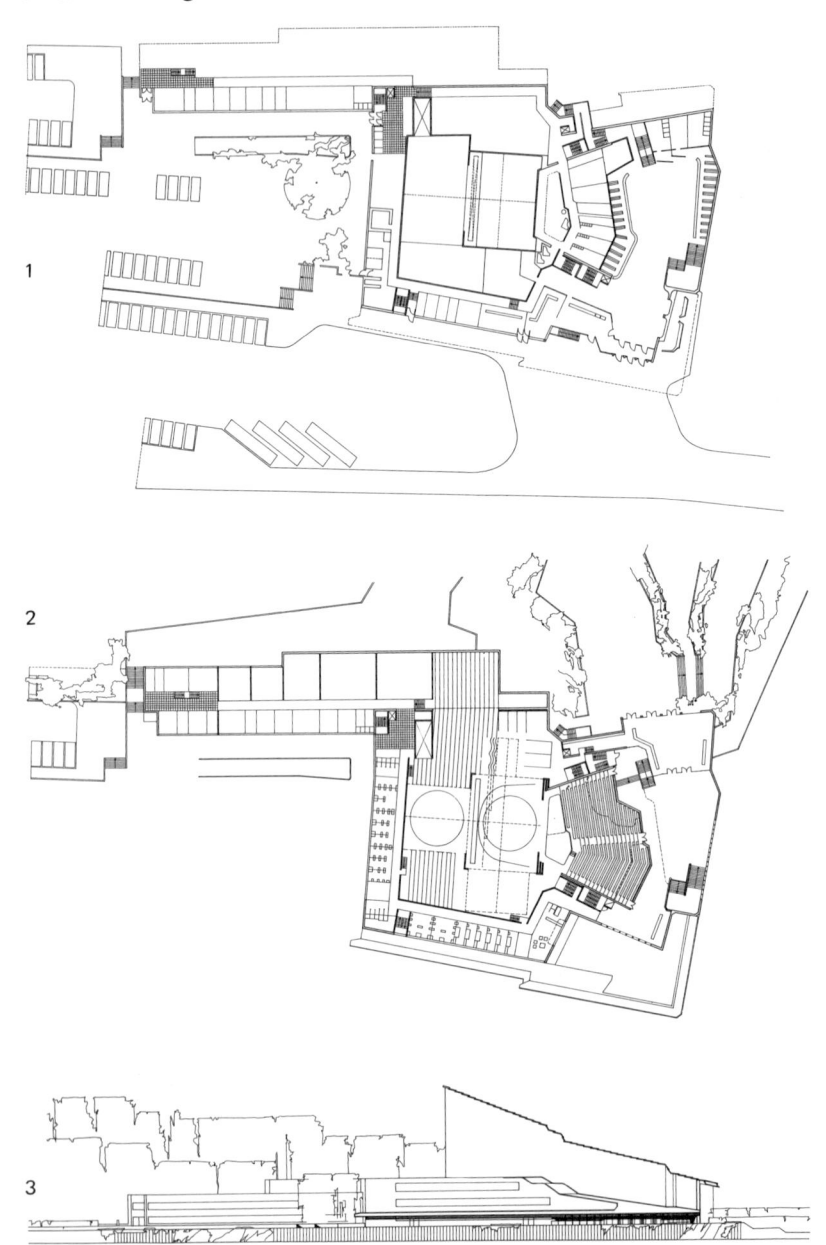

Teatro, Seinäjoki
Projeto 1968-1969

O teatro, que serve também para congressos e reuniões, destina-se à própria cidade e à região vizinha.
Edifício com múltiplas finalidades, está disposto — mas de forma mais simples — como os teatros de Wolfsburg e de Essen. O palco pode ser modificado sem grandes dificuldades e utilizado por grupos amadores.

1 Pavimento dos espectadores.
  A sala pode ser dividida por uma parede móvel
2 Térreo
3 Corte
4 Maquete experimental

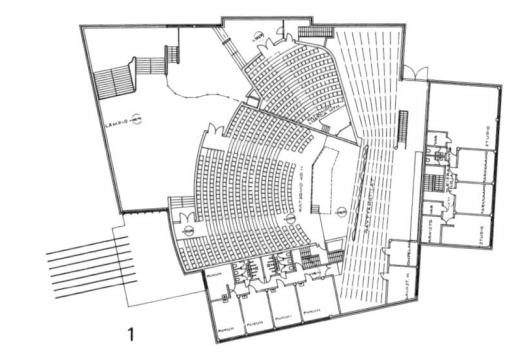

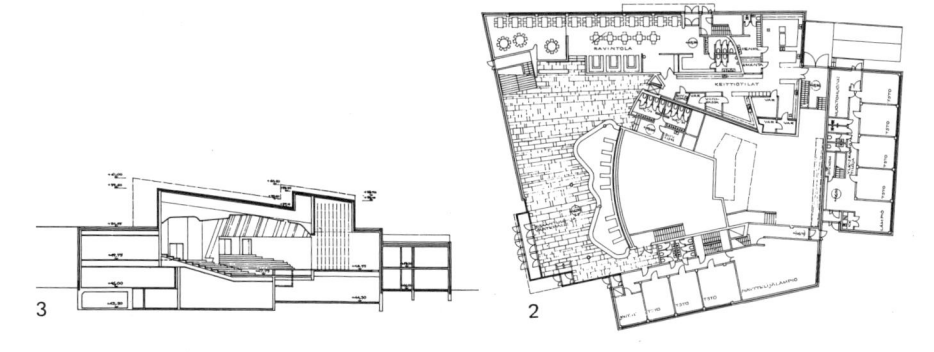

Teatro e sede da rádio "Lappia", Rovaniemi
Projeto 1969-1970   Execução 1ª etapa 1970-1972, 2ª etapa 1972-1975

O teatro de Rovaniemi se insere no novo centro urbano projetado em 1963. O edifício compreende, na primeira etapa, a estação radiofônica e o conservatório de música; na segunda, um teatro polivalente, concebido de maneira a poder se abrir para o conservatório durante os congressos.

1 Planta de situação
2 Fachada da entrada

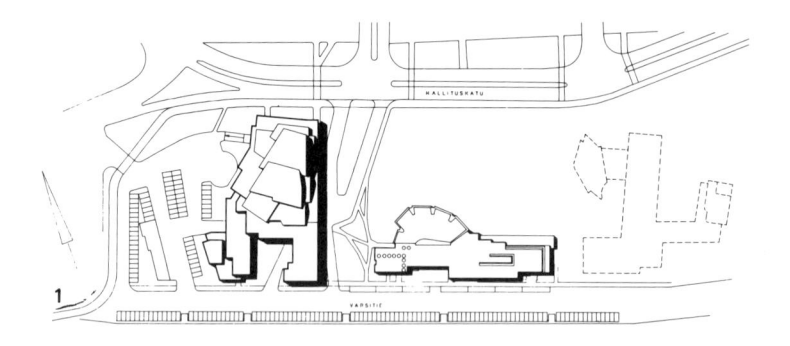

1 Corte do teatro
2 Térreo
3 Planta da sala
  de espetáculos

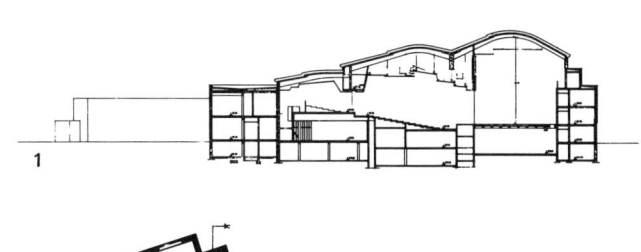

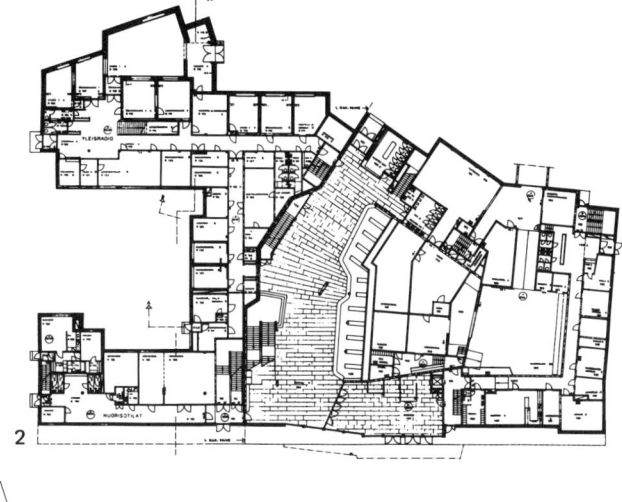

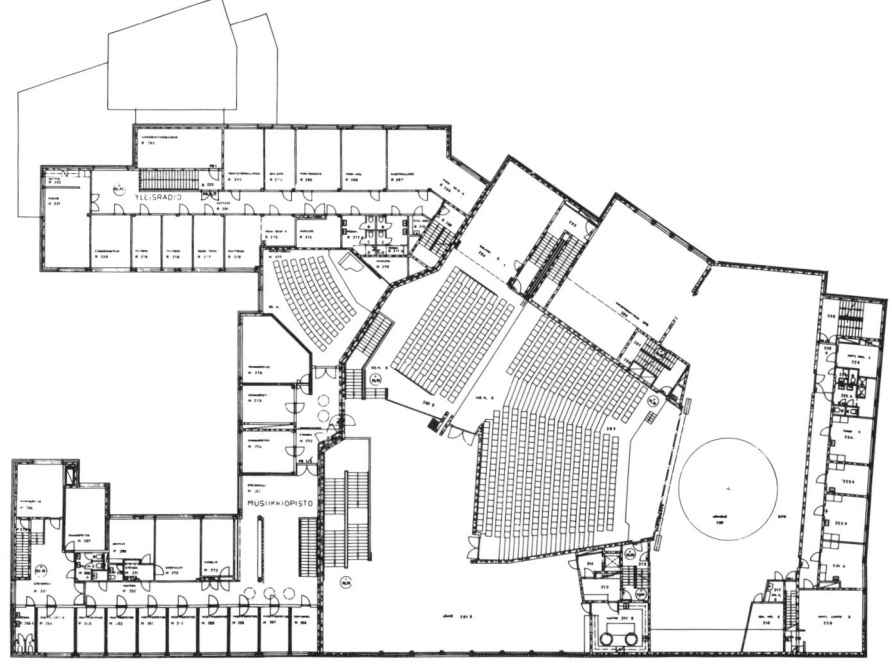

1 Escada para o *foyer* superior
2 Vista da estação radiofônica
3 Sala de espetáculos
4 Fachada da entrada do teatro

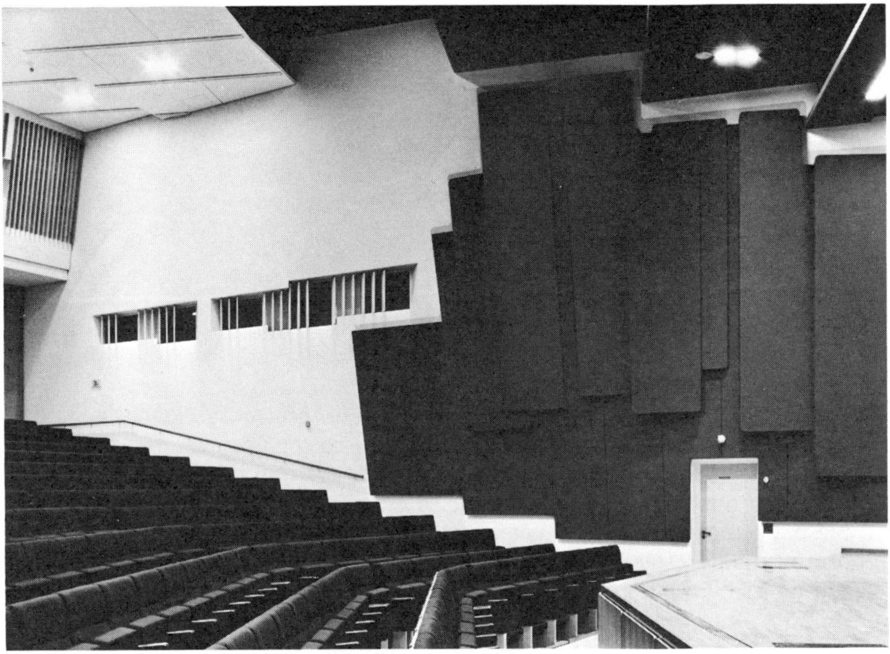

3

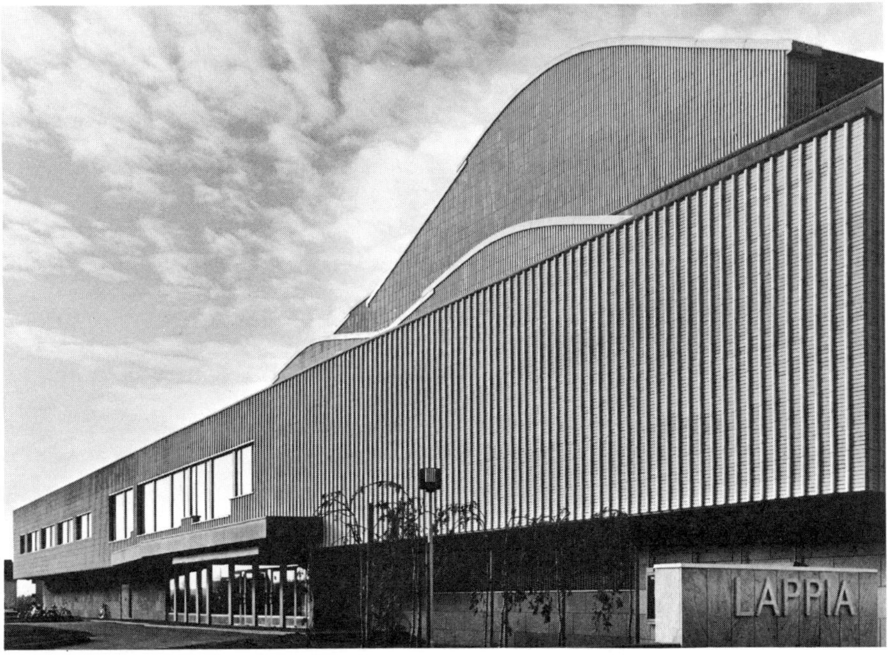

4

EXPOSIÇÕES E MUSEUS

Exposição do VII Centenário de Turku, 1929

A exposição foi realizada num parque próximo ao centro da cidade, e alguns setores se prolongavam até a periferia. Além disso, os pórticos, tratados como entradas dos pavilhões, estavam dispostos em pontos vitais da cidade, fazendo com que a exposição parecesse se estender por uma vasta área. Ao mesmo tempo que o VII Centenário da cidade de Turku, houve importantes manifestações musicais para as quais foi erguido um grande estrado ao ar livre para os coros e as orquestras. O efeito acústico foi aumentado com a instalação de uma parede curva no fundo do palco, enquanto o pódio formava uma caixa de ressonância.

1 Pódio para manifestações musicais, construção em madeira
2 Vista geral

Pavilhão finlandês, Paris, 1937
Concurso 1935   1º Prêmio   Construção 1936-1937

A exposição acontecia tanto no interior quanto ao ar livre, de maneira que os visitantes mal percebiam a passagem do céu aberto aos espaços cobertos.
A composição era acentuada por uma série de pilares; a madeira finlandesa intervinha como material de construção ou como revestimento de paredes.

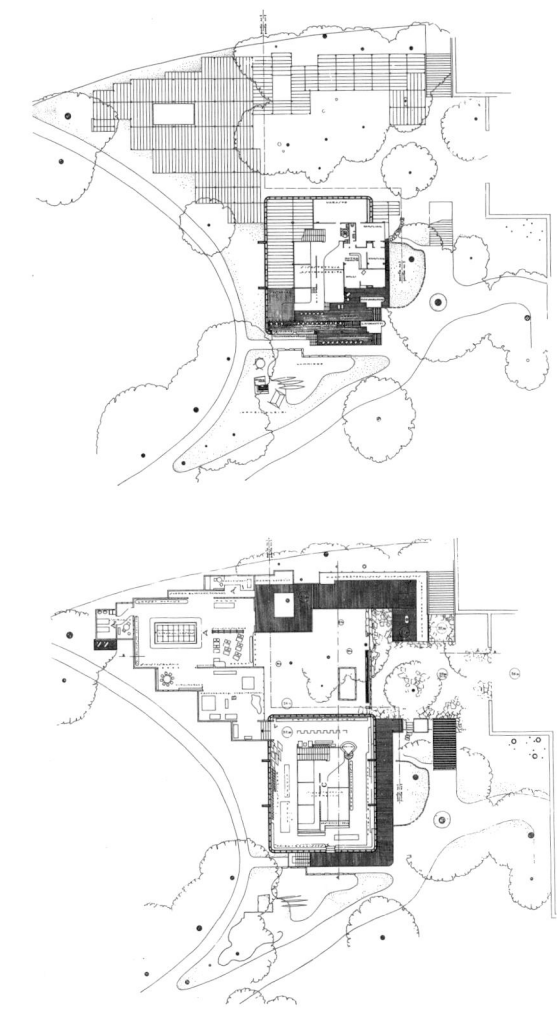

1 Pavimento dos escritórios
2 Planta do nível superior

1
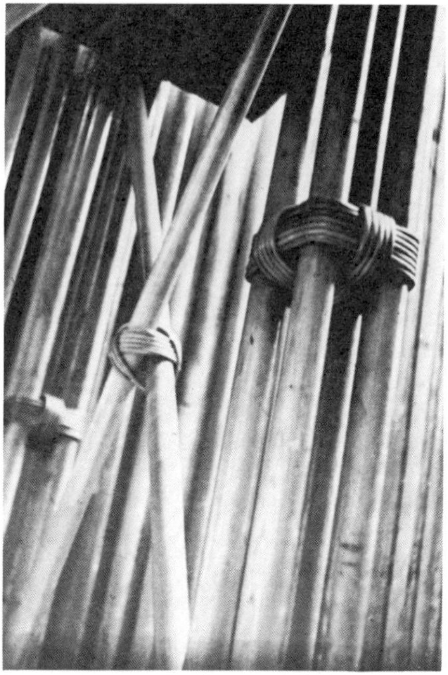
2
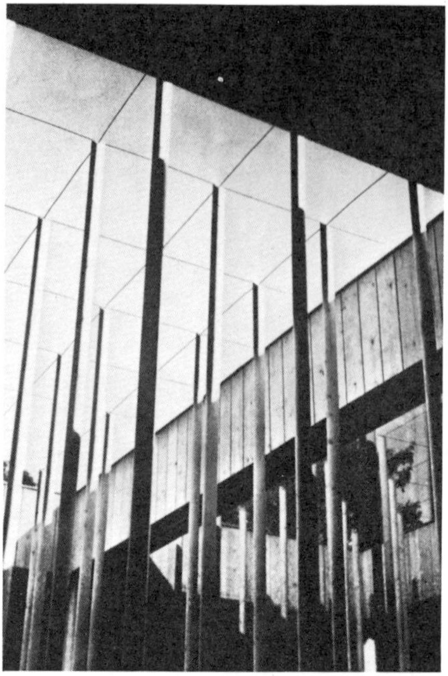
3
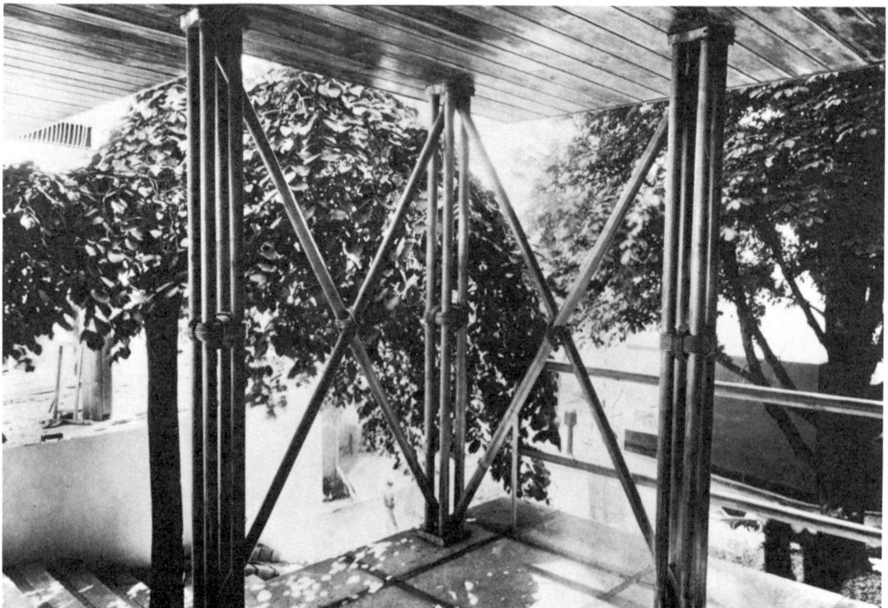

1 Junção das madeiras
2 Pilares e travessas
3 Pilares diagonais
4 Revestimento do edifício principal
5 Pátio interno com a exposição do livro

Pavilhão finlandês na Exposição Universal de Nova York, 1939
Concurso 1937

O pavilhão comporta quatro pavimentos nos seus 16 metros de altura. A parte superior da exposição ilustra o país; a outra, a população. A terceira, um pouco mais embaixo, o trabalho, e, finalmente, a parte inferior resume essas três condições e apresenta os produtos.

Graças às disposições arquitetônicas muito livres e aos painéis inclinados, a vista alcançava imagens e objetos distantes com a mesma facilidade com que percebia os cimácios dos planos.

Assim, efetuava-se uma relação vertical e horizontal entre os gráficos e os objetos. "Uma exposição deve ser aquilo que sempre foi: um bazar que mostra indiferentemente todos os tipos de objetos heteróclitos, peixes, tecidos ou queijos. É por isso que procurei a maior concentração possível de demonstração, um lugar cheio de mercadorias justapostas, sobrepostas, de produtos industriais e alimentos, afastados alguns centímetros uns dos outros. Não é tarefa fácil reunir esses elementos para que eles formem um conjunto harmonioso."

1 Planta da entrada
2 Vista da parede ondulada a partir da entrada
3 Planta com o restaurante sobre a galeria

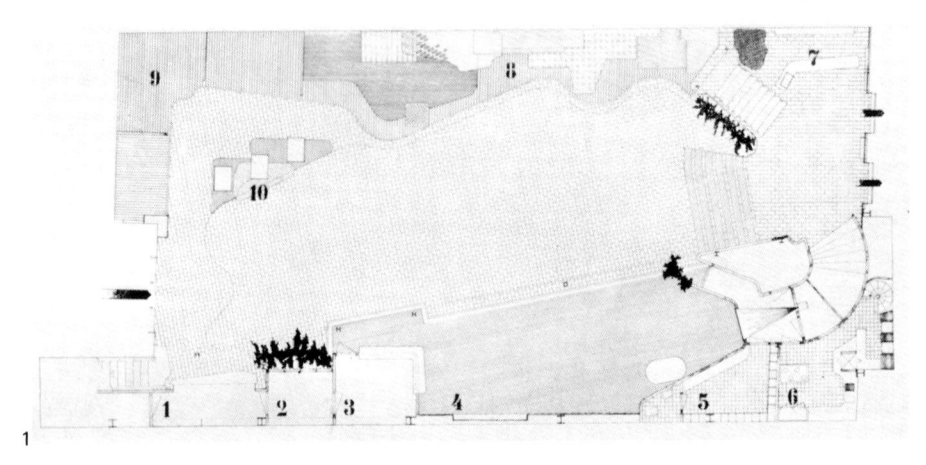

75

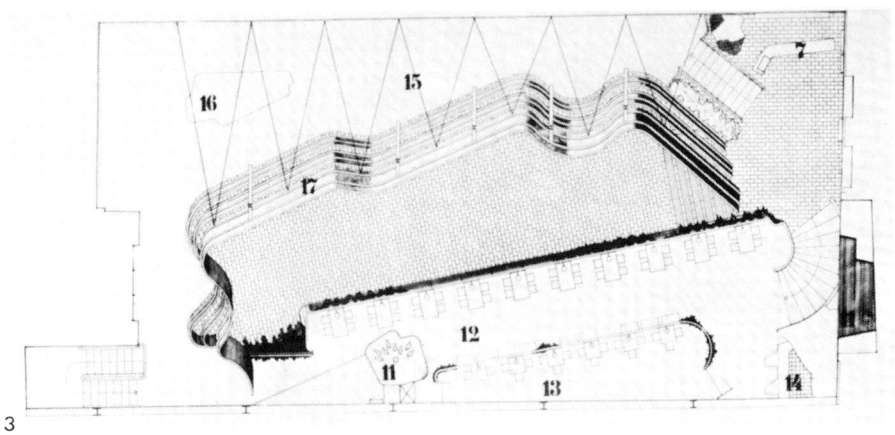

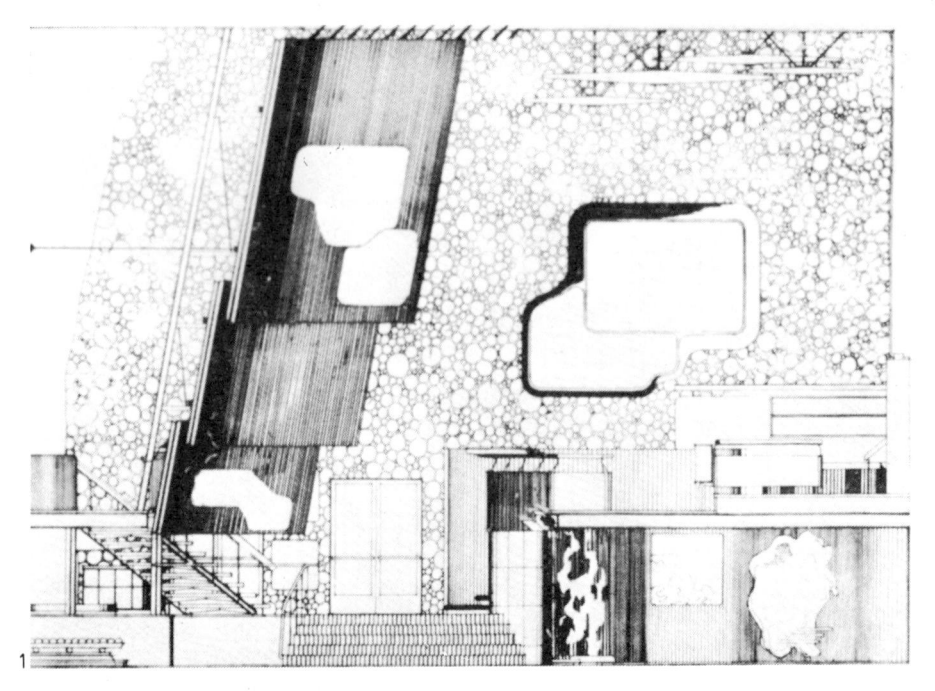

1 Corte
2 Vista da saída diante do setor de informações, da galeria do restaurante e da cabine do operador
3 Vista da saída para a parede ondulada

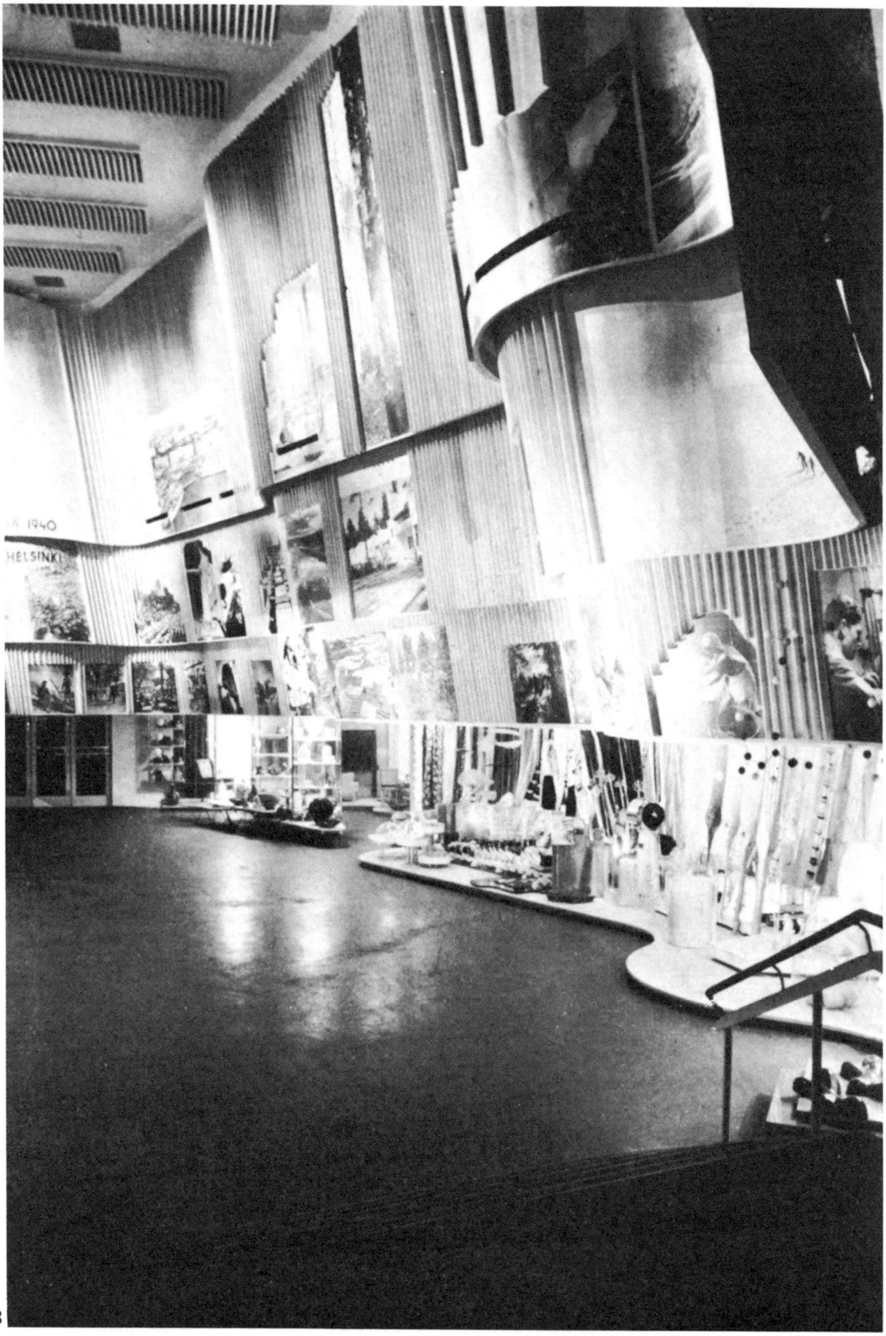

1940
HELSINKI

1/2 Detalhes sob
a parede
ondulada

Museu de Belas-Artes, Reval (Estônia)
Concurso 1934

A disposição particular do museu deixa ao visitante a escolha do setor que ele deseja ver.
O saguão é organizado de forma a que ele possa, a partir da entrada, ver os acessos para as salas, ligadas diretamente umas às outras.
Os diversos setores do museu são servidos por vias que formam uma espécie de circuito independente.

1 Maquete
2 Vista do saguão. Vêem-se os vários acessos às diversas coleções do museu

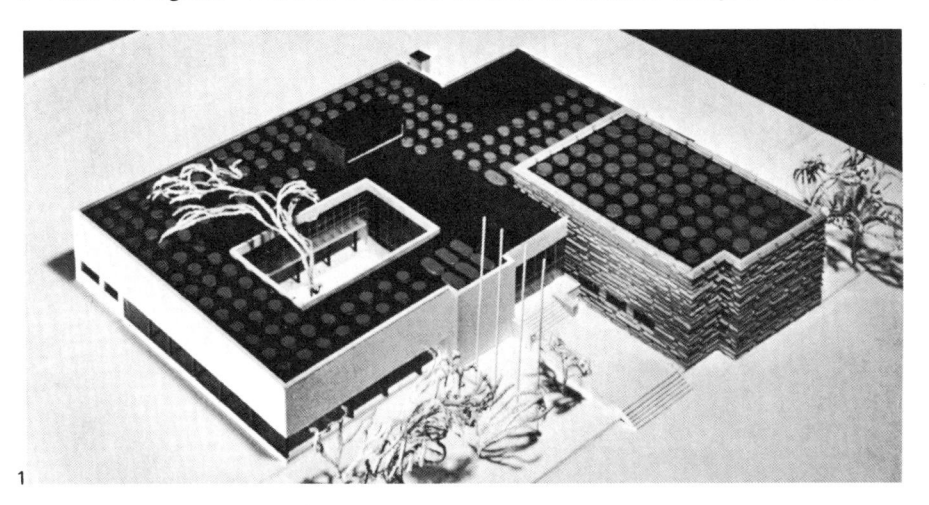

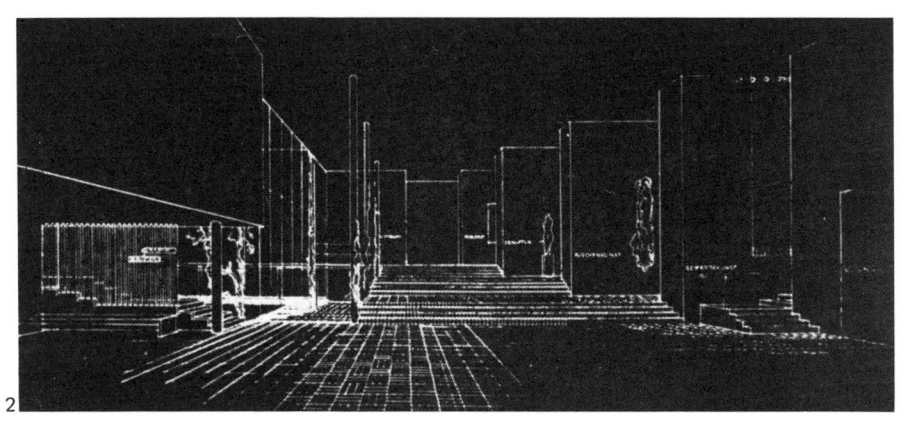

Planta geral

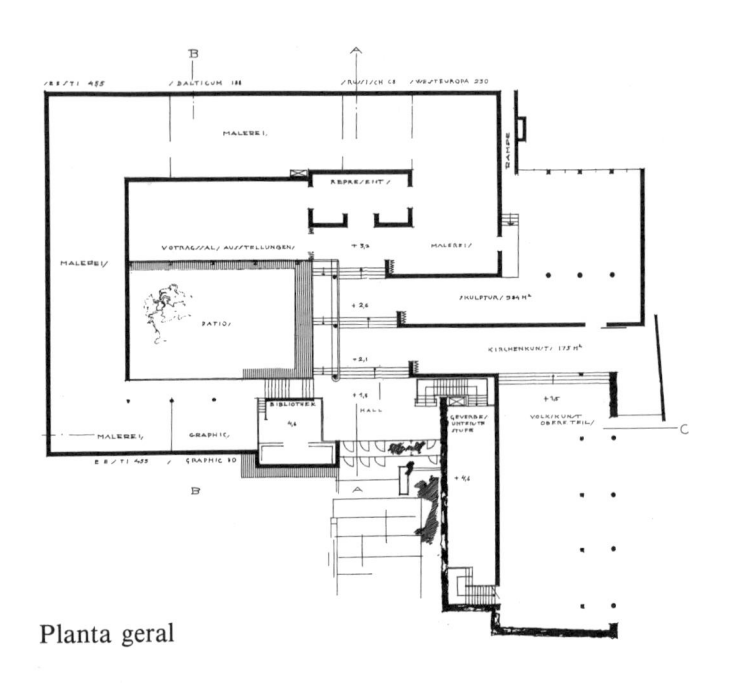

A entrada, na planta

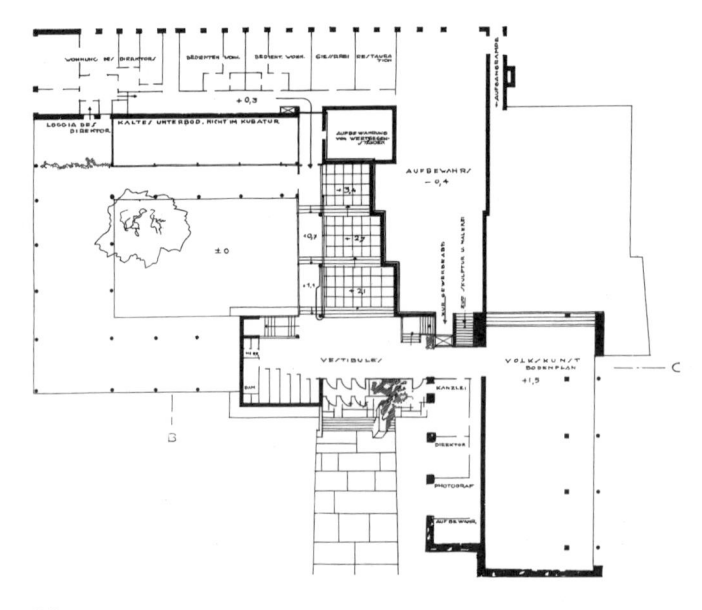

Museu, Aalborg (Dinamarca)
Concurso 1958   Construção 1969-1973

Num museu de belas-artes, a luz é tão importante quanto a acústica numa sala de concertos. A sua orientação é, portanto, fundamental.
A luz do nordeste, vinda do alto, ilumina as salas durante o dia com um clarão difuso. Os raios solares vindos do sul e do oeste são utilizados pelo reflexo nas superfícies horizontais e verticais do teto e das paredes.
A iluminação do salão de exposição é condicionada pela posição do edifício e pelo entorno: as pequenas colinas forradas de faias formam uma parede natural, cujos reflexos, que variam conforme as estações, propiciam um tom vivo e variado.
Como esse salão obtém uma boa luz de todos os lados, com exceção do sul, os cimácios são todos utilizados para as exposições.

Vista do conjunto

1 Croquis
2 Vista parcial; à direita, o teatro de verão
3 Vista da fachada
4 Vista interior de uma sala
5 *Foyer* com as *Três mulheres*, de Lynn Chadvick

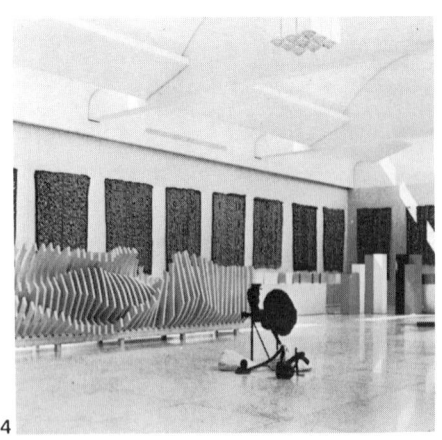

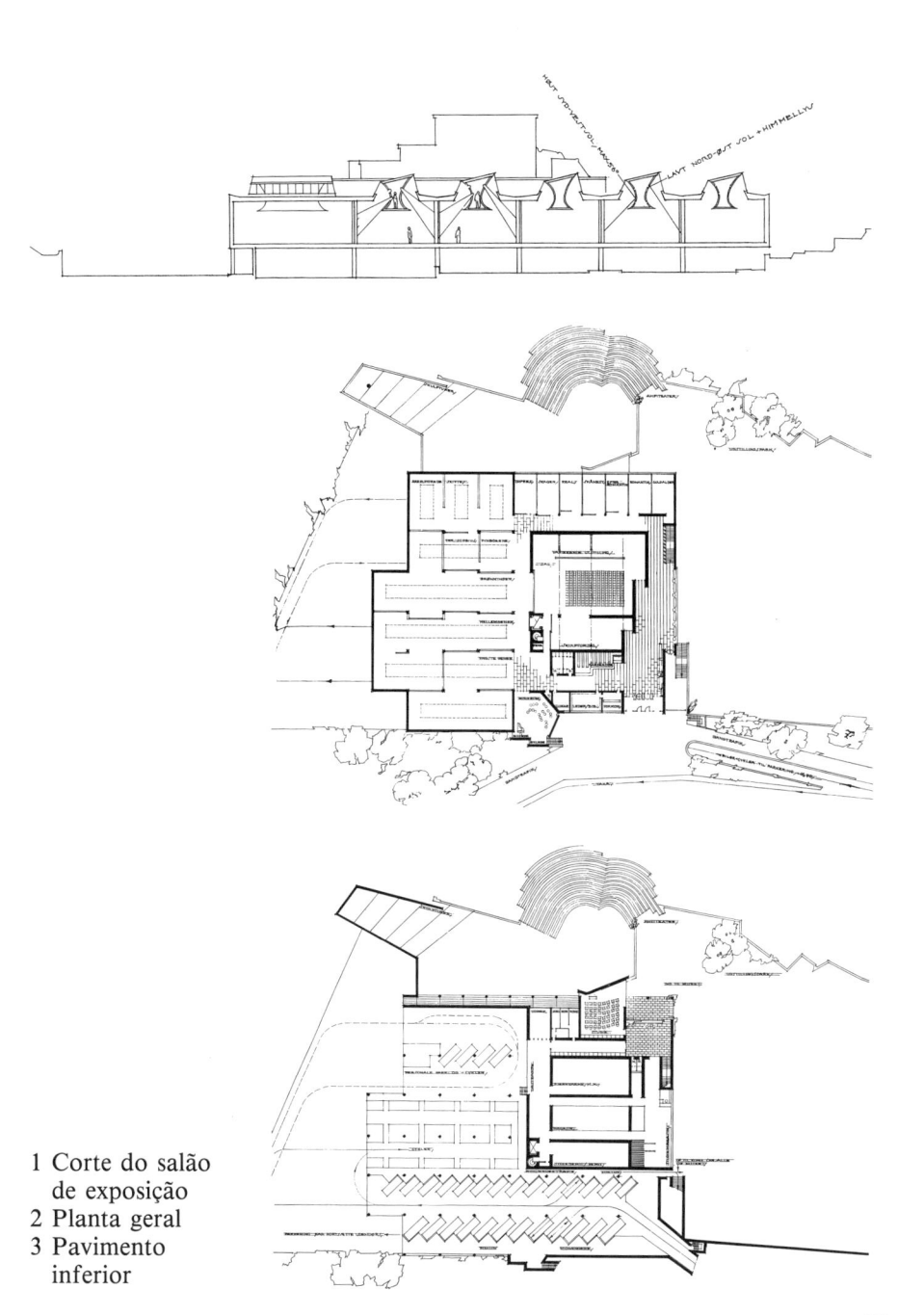

1 Corte do salão
  de exposição
2 Planta geral
3 Pavimento
  inferior

Museu da Finlândia central, Jyväskylä
Projeto 1959   Construção 1960-1962

Esse museu da Finlândia central é um pequeno instituto construído com meios muito modestos. Destina-se a exposições itinerantes e contém também uma coleção folclórica da região. O museu situa-se de lado numa encosta cujas árvores foram cuidadosamente conservadas. As paredes foram rebocadas por dentro e por fora e pintadas de branco, assim como todos os elementos de concreto bruto e de madeira.

1 Pavimento principal
2 Subsolo
3 Vista externa

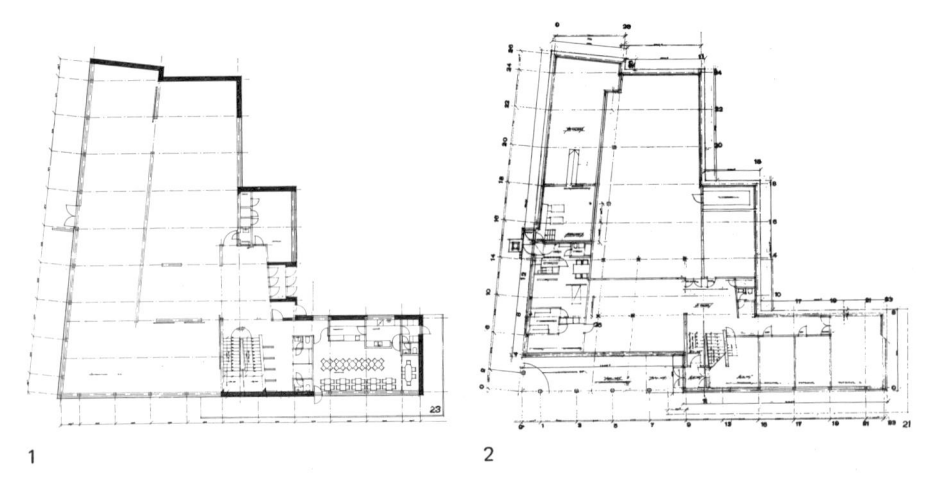

1 Vista externa
2 Parte baixa do salão de exposição
3 Vista do salão de exposição

Museu de Belas-Artes, Shiraz (Irã)
Projeto 1970

O Museu de Belas-Artes irá se situar numa colina próxima da cidade, perto da nova cidade universitária. A própria colina será irrigada por um sistema de canalizações, o que permitirá a construção de um parque que ofereça todas as condições para o repouso e o trabalho intelectual.

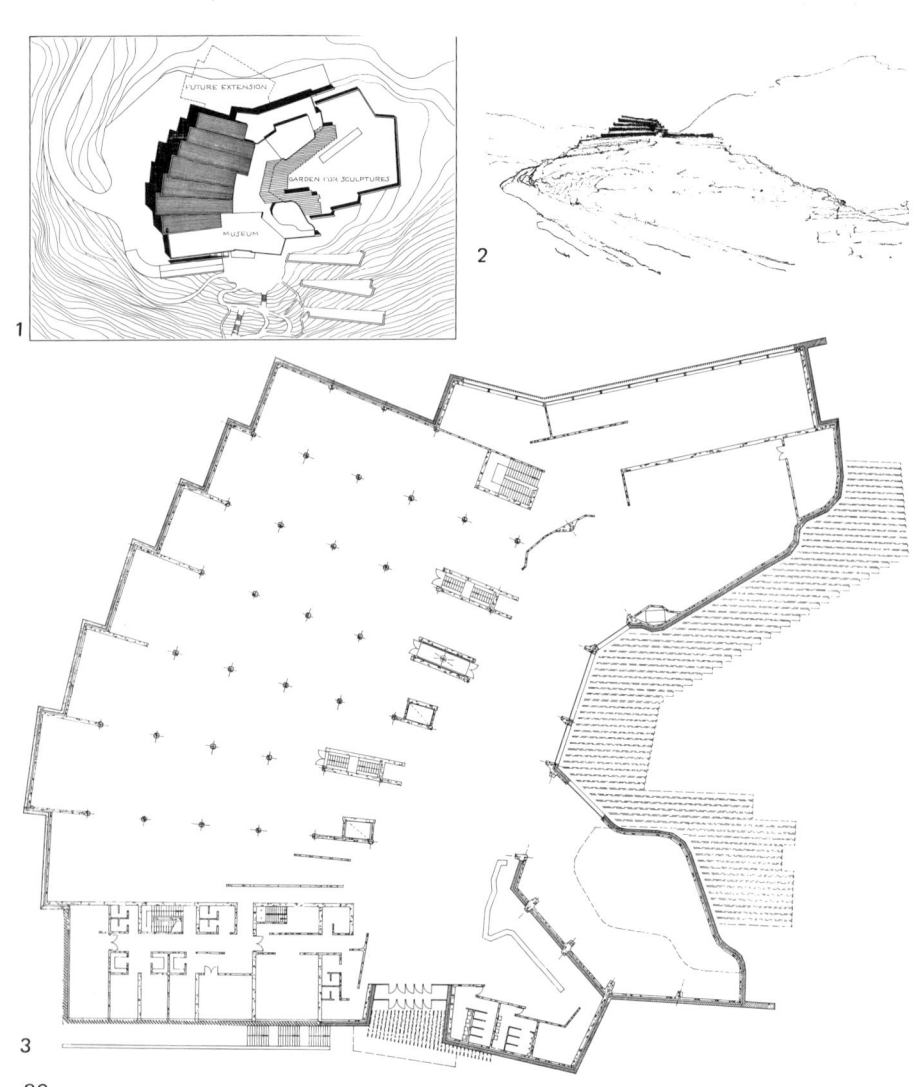

A planta do museu prevê um salão que poderá ser subdividido de acordo com as manifestações. Da entrada será possível ver o conjunto dos setores das exposições. A sala poderá ser utilizada para qualquer tipo de exposição, e não haverá um sentido determinado a ser percorrido na visita das coleções.

1 Planta de situação
2 Primeiro croquis da situação
3 O térreo com o salão subdivisível, a administração, a sala de conferências e a sala de exposições especiais
4 Corte da sala. O telhado é envidraçado. Os raios solares são filtrados por lamelas e por superfícies refletoras. A luz artificial é instalada por analogia à incidência solar
5 Vista do jardim das esculturas
6 Vista da entrada principal
7 Maquete

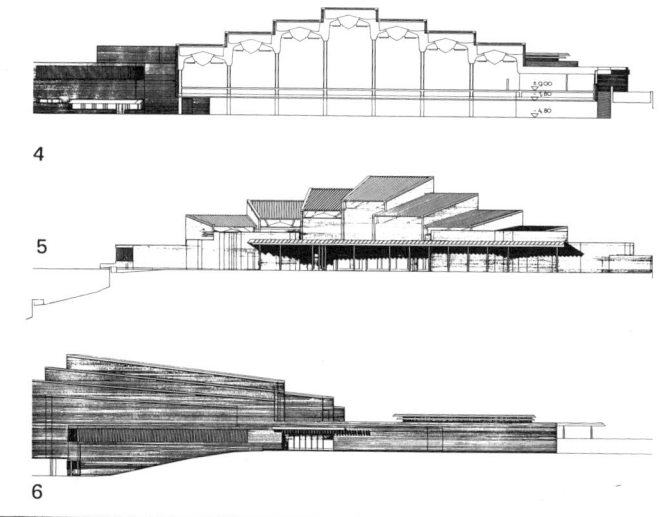

Museu de Belas-Artes, Bagdá (Iraque)
Projeto 1958

O museu de Bagdá desenvolve as concepções do Museu de Belas-Artes de Reval, do ano de 1934.
"A disposição particular do museu deixa ao visitante a escolha do setor que ele deseja ver. Do saguão podem-se avistar os acessos às salas de exposição. Os diversos setores formam um circuito independente."
Na cobertura há o jardim das esculturas com um café e um anfiteatro.

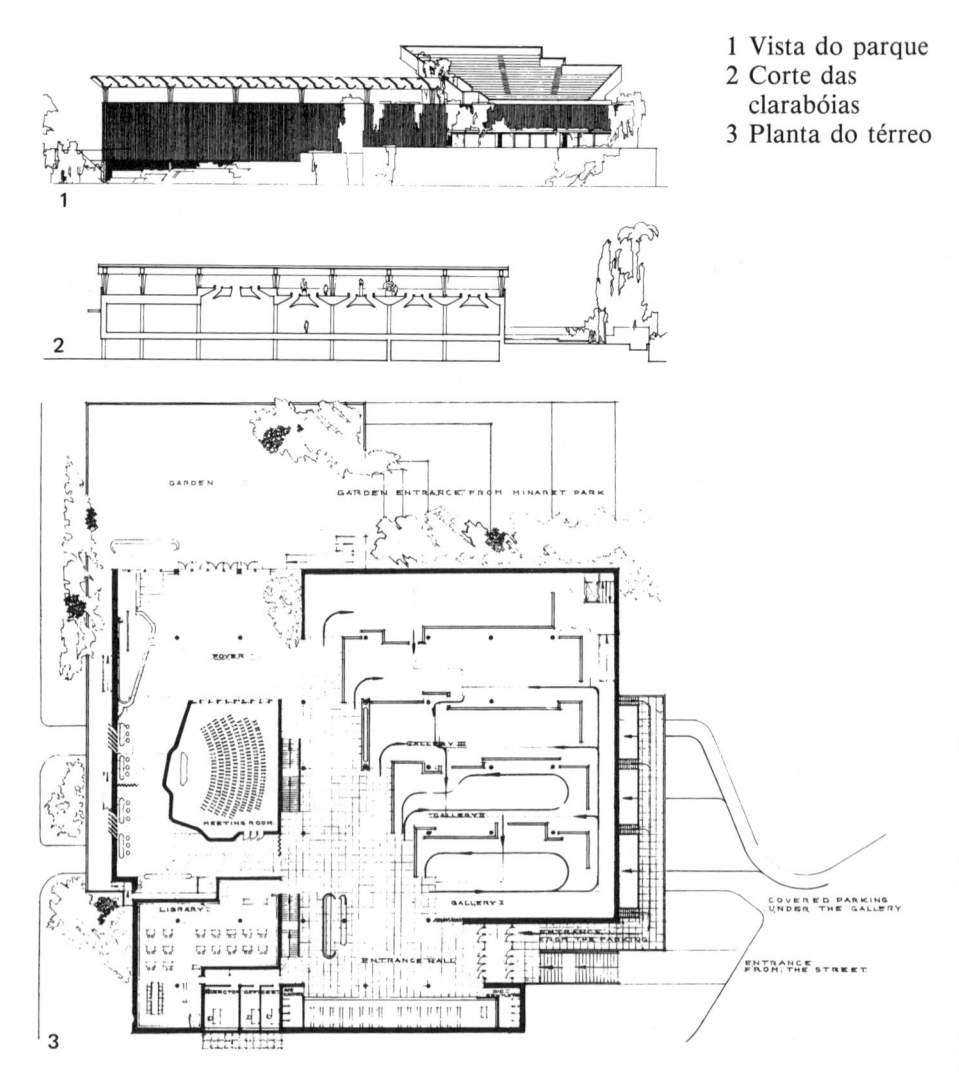

1 Vista do parque
2 Corte das clarabóias
3 Planta do térreo

Museu Alvar Aalto, Jyväskylä
Projeto 1971   Execução 1971-1973

O edifício situa-se nas proximidades da universidade pedagógica de Jyväskylä e junto do museu da Finlândia central.
A disposição oblíqua permite apresentar simultaneamente em setores independentes várias exposições, sem que uma atrapalhe a outra. Há apenas duas paredes fixas, as outras são móveis e podem ser dispostas à vontade. No pavimento térreo inferior, encontra-se a entrada principal; há também uma sala de conferências e um café.

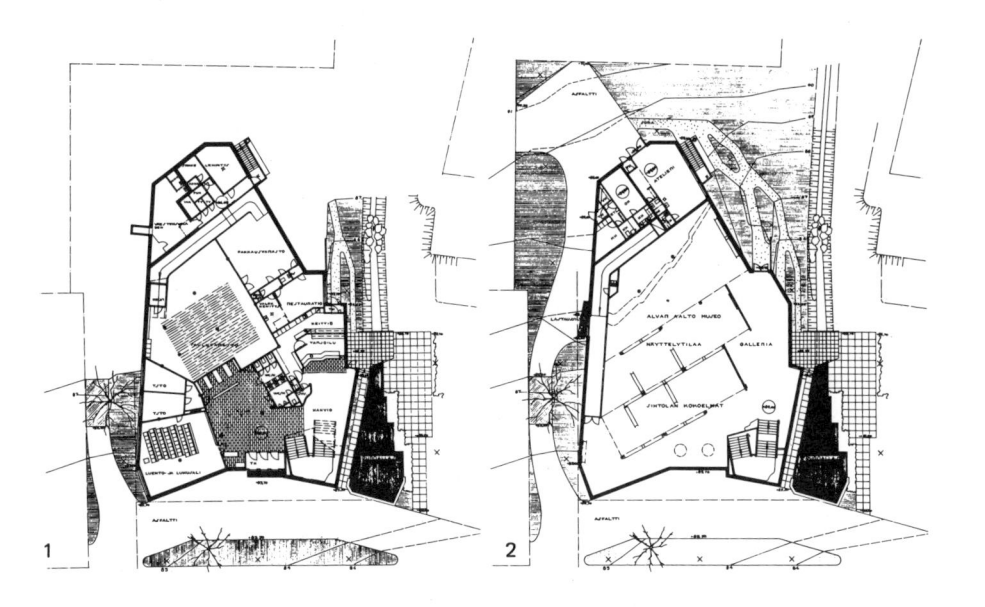

1 Pavimento térreo inferior com a sala de conferências, a administração e o café dando para o jardim
2 Nível da sala de exposição, alojamento do zelador e ateliê. A sala pode ser subdividida
3 Corte

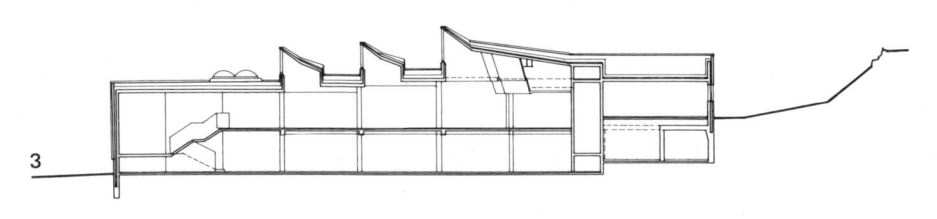

1/2 Detalhes do salão de exposição
3 Vista externa

SANATÓRIO

Sanatório antituberculose, Paimio
Concurso 1928   Construção 1929-1933

A idéia principal consistia na união perfeita das áreas de repouso e das áreas de trabalho. A célula a partir da qual se organiza a planta é constituída pelo quarto dos doentes. Embora os quartos de três leitos ofereçam maiores distrações aos enfermos, optou-se pelo quarto de dois leitos por razões de tranqüilidade.
A posição deitada, com o tempo, deprime os doentes; aliás, os quartos

Planta de situação
A Quartos dos doentes e galerias
B Salas comuns
C Cozinha, calefação, etc.
D Garagens
E Residência dos médicos
F Residência dos empregados

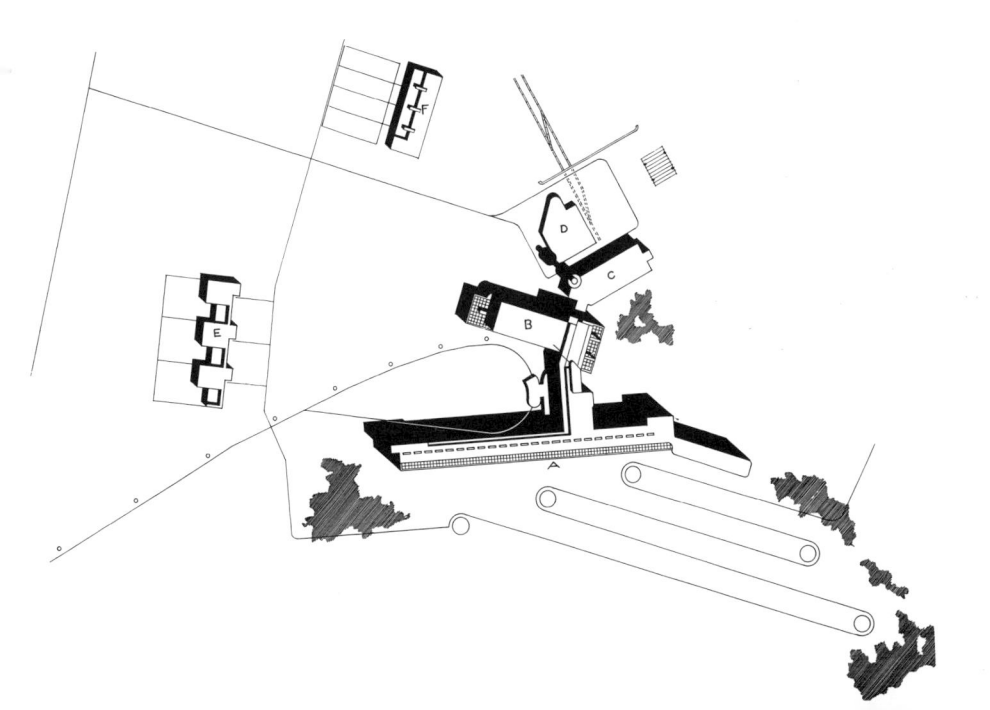

comuns não são concebidos para essa posição. Os contrastes de cores e volumes, que resultam da diferença de valores entre as paredes e o teto, entre a luz do dia e a luz elétrica, etc., agem quase sempre desfavoravelmente sobre os pacientes, que permanecem deitados e são particularmente sensibilizados pela doença.

Os quartos e os apartamentos das enfermeiras estão dispostos de maneira a se furtarem o máximo possível à influência da atmosfera que reina nesse tipo de estabelecimento.

Os funcionários superiores, sobretudo os médicos, vivem em fileiras de casas fora do sanatório, longe das vistas dos doentes.

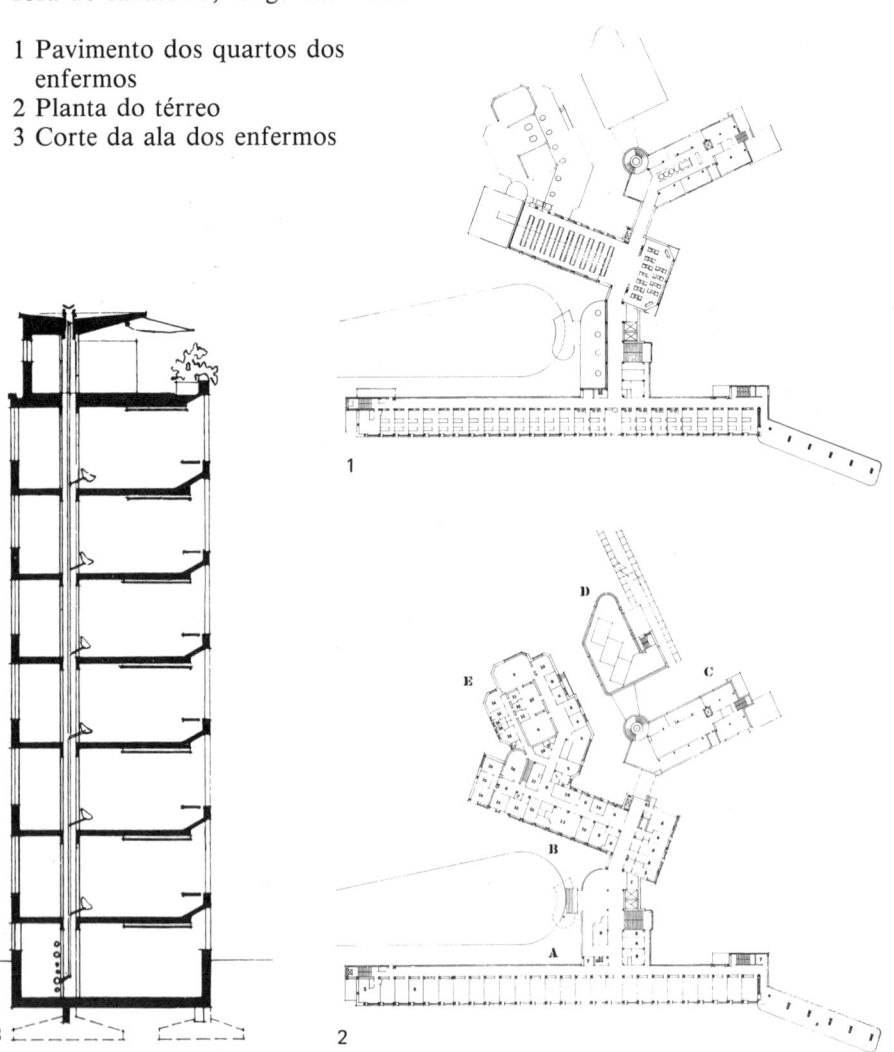

1 Pavimento dos quartos dos enfermos
2 Planta do térreo
3 Corte da ala dos enfermos

1 Escada principal
2 Galeria

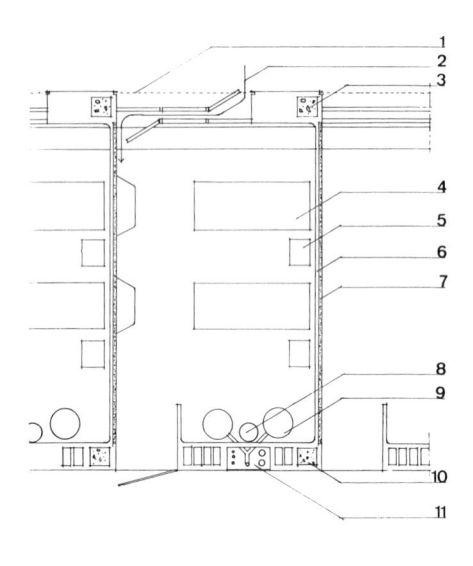

1 Venezianas
2 Ar fresco
3 Construção portante
4 Leito
5 Criado-mudo
6 Superfície mole da parede
7 Superfície dura da parede
8 Lavabo
9 Construção portante
10 Unidade de instalação

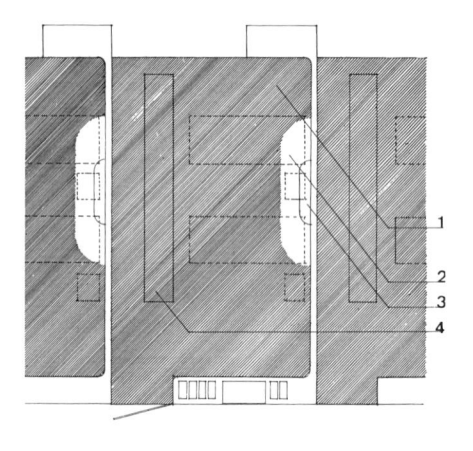

Quarto dos enfermos

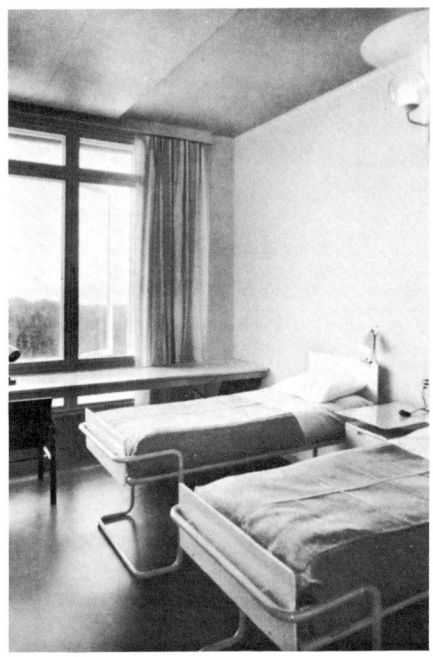

1 Teto de cor escura
2 Zona clara refletindo do teto
3 Lâmpada
4 Painel do teto com radiador

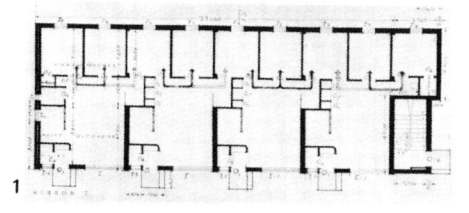

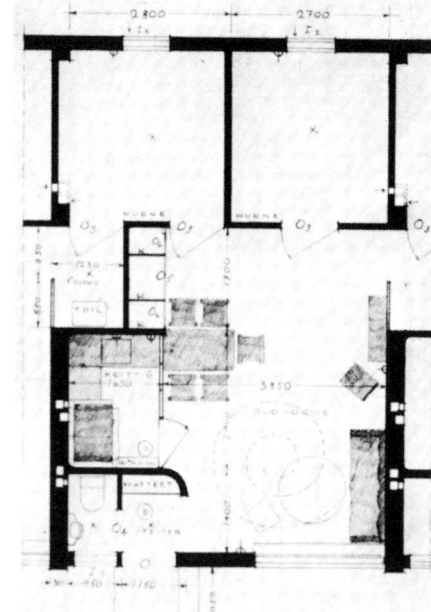

1 Planta de uma fileira de residências de funcionários
2 Planta de uma residência de funcionário
3 Residências dos funcionários

1 Fachada leste
2 Vista do oeste

EQUIPAMENTOS PEDAGÓGICOS

Universidade Pedagógica, Jyväskylä
Concurso 1950   Construção 1953-1956

Os edifícios são agrupados em U ao redor de uma esplanada, onde existem institutos pedagógicos, biblioteca, escola modelo, instalações esportivas e piscina coberta, dormitórios, clubes de professores e salas das agremiações estudantis.

A entrada principal da universidade localiza-se no eixo da grande avenida, o que mostra a sua importância. Cada edifício tem duas entradas, uma para os parques de estacionamento e para as ruas, a outra para a esplanada, reservada aos pedestres.

Planta de situação: à direita, embaixo, edifício principal com entrada do lado da rua; à esquerda, dormitório e refeitório; à esquerda, no alto, sala de ginástica e piscina; à direita, no alto, biblioteca e salas de aula

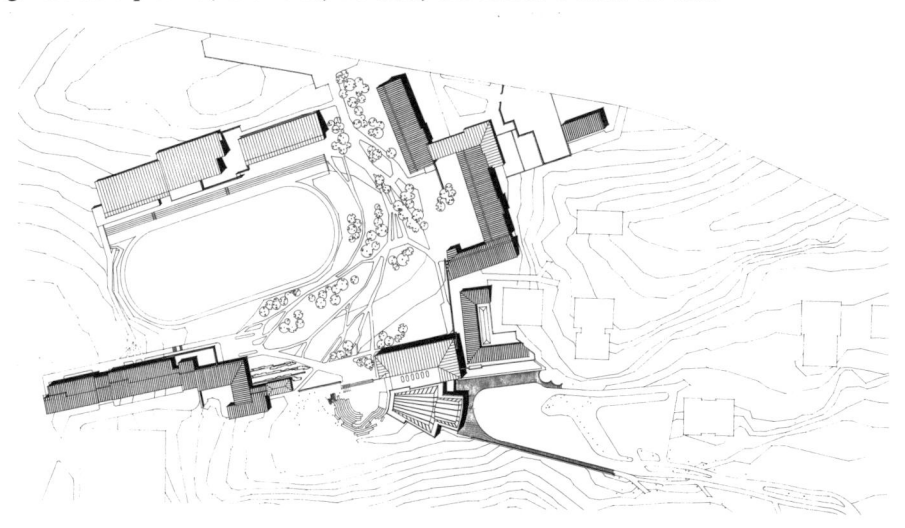

1 Escada
2 Saguão e *foyer*

1 Planta das salas de aula
2 Vista da colunata para o centro esportivo
3 À esquerda, o refeitório dos professores; à direita, o dos estudantes

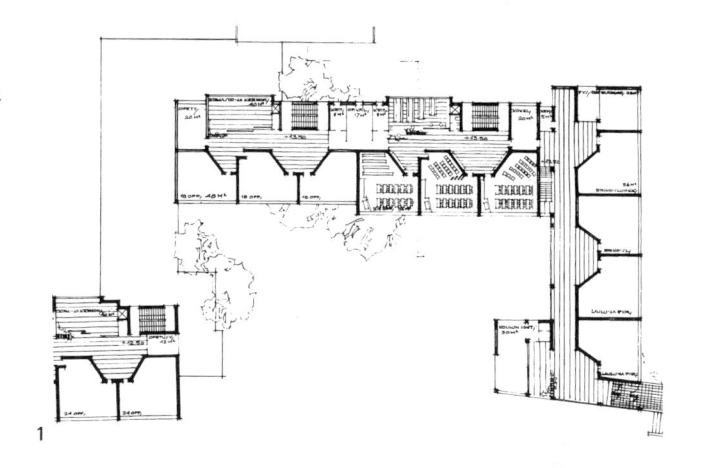

Edifício principal da Escola Politécnica, Otaniemi
Projeto 1955   Construção 1961-1964

O espaço de um dos lados do edifício foi reservado ao tráfego de automóveis; o outro, aos pedestres; este é disposto em terraços sobre o parque, ligando os alojamentos em frente ao edifício principal.
O edifício é ocupado em grande parte pelos auditórios construídos como anfiteatros. A forma do telhado obedece aos hemiciclos. Atrás dos auditórios encontram-se os espaços onde os estudantes se reúnem; no lado oposto, encontra-se a administração.
As salas de aula situam-se ao redor de pequenos pátios interiores. Nessa parte, há pequenos auditórios secundários e laboratórios. Distinguem-se quatro grupos principais: administração, parte geral, seção geográfica e geodésica e escola de arquitetura.
Esses grupos estão dispostos de maneira a que cada um possa ser aumentado sem atrapalhar o conjunto.

Planta de situação

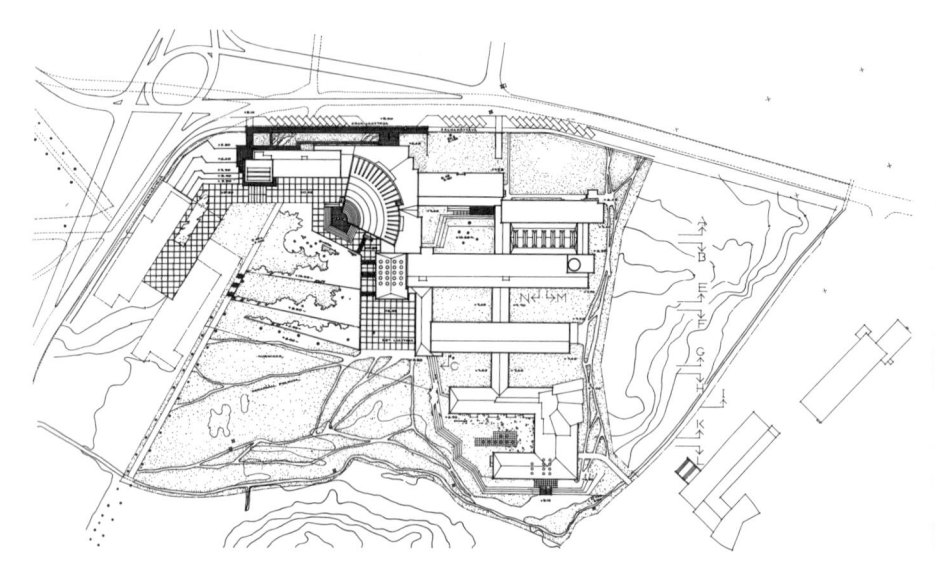

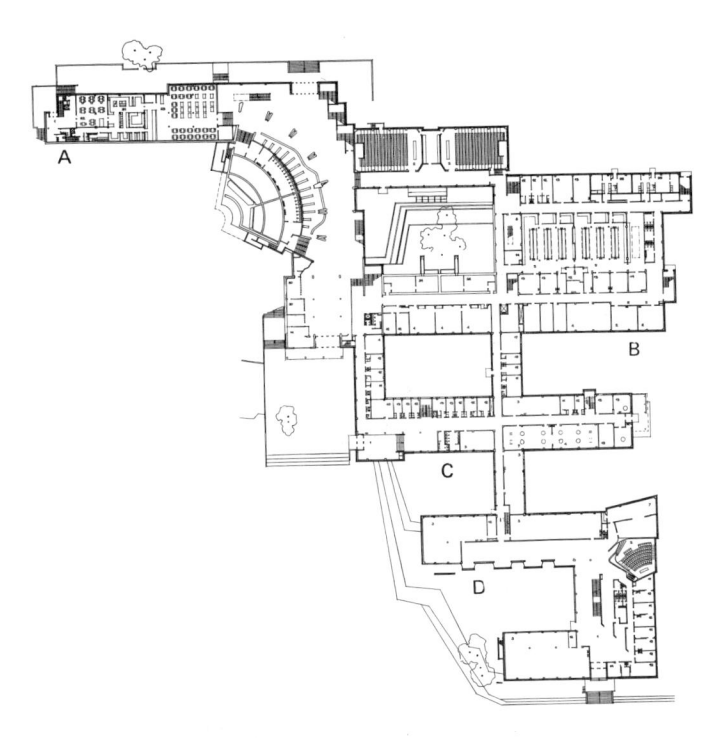

Térreo

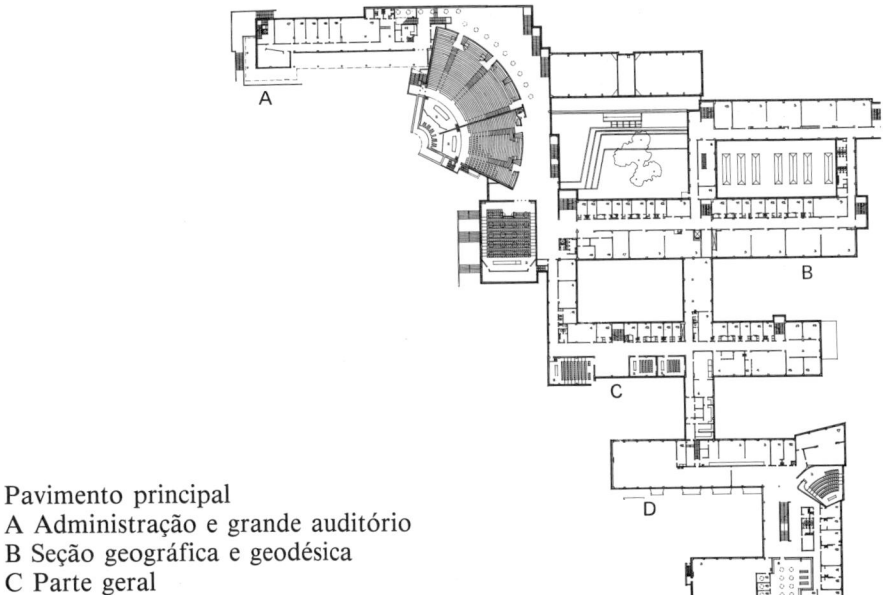

Pavimento principal
A Administração e grande auditório
B Seção geográfica e geodésica
C Parte geral
D Escola de arquitetura

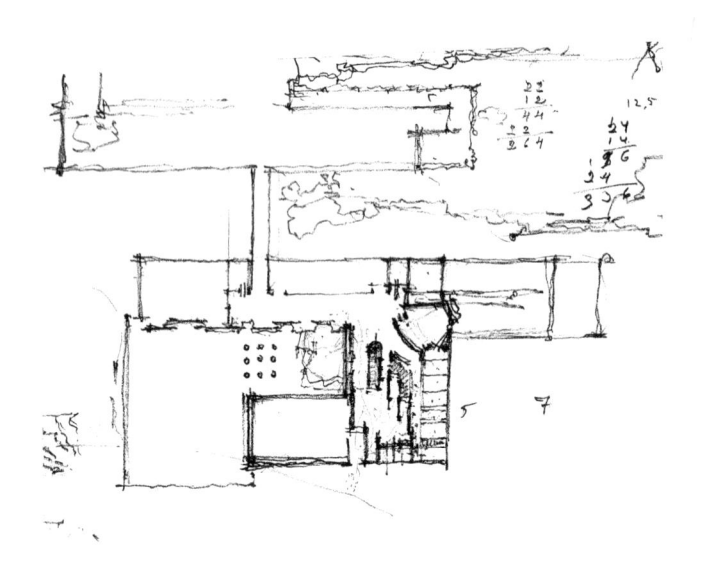

Croquis da entrada da escola de arquitetura

Grande auditório

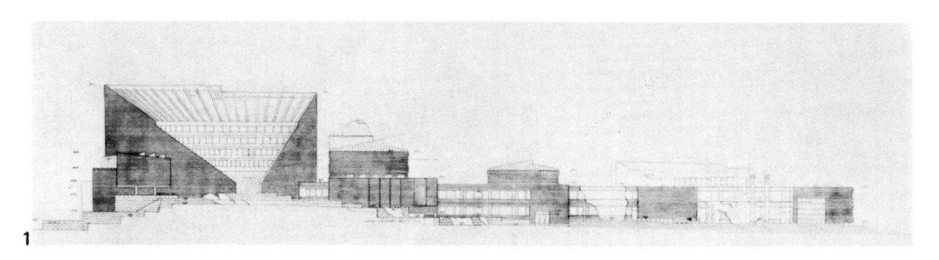

1 Fachada. À esquerda, grande auditório; no meio, faculdade de geodésia; à direita, escola de arquitetura
2 Corte do grande auditório
3 Vista interior do grande auditório. A sala recebe luz indireta não ofuscante

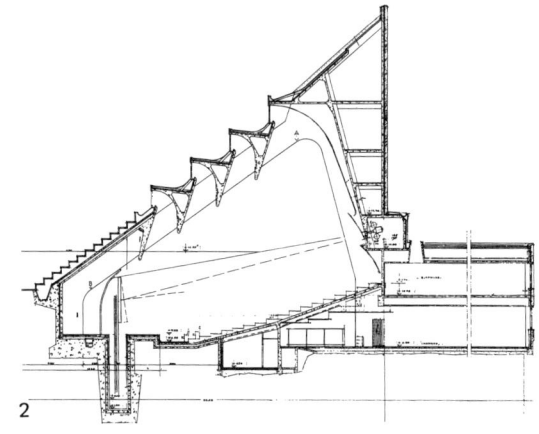

1 O grande auditório visto por trás
2 Grande auditório
3 *Foyer* do grande auditório
4 Auditório com iluminação zenital. No teto está localizada a ventilação

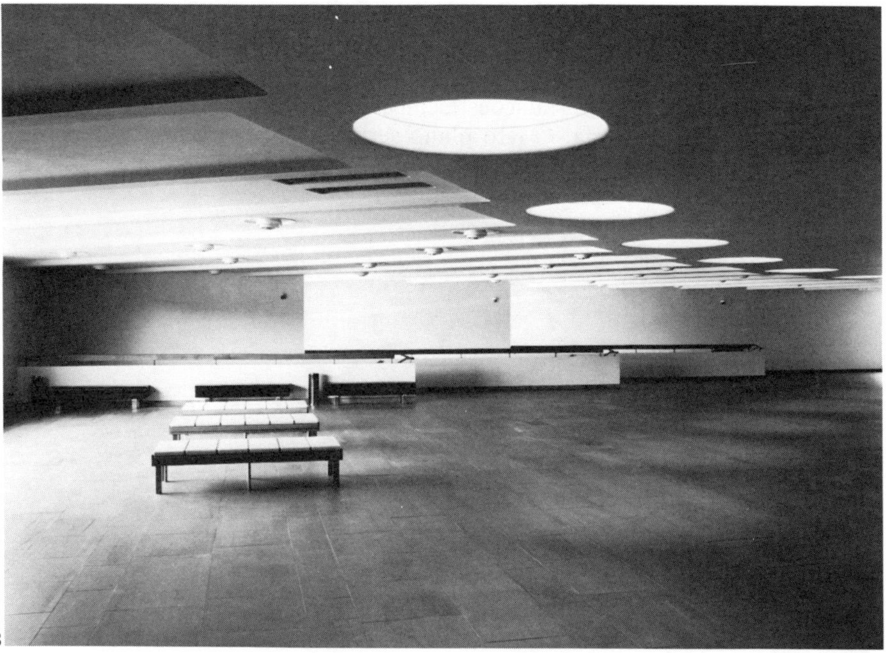
3

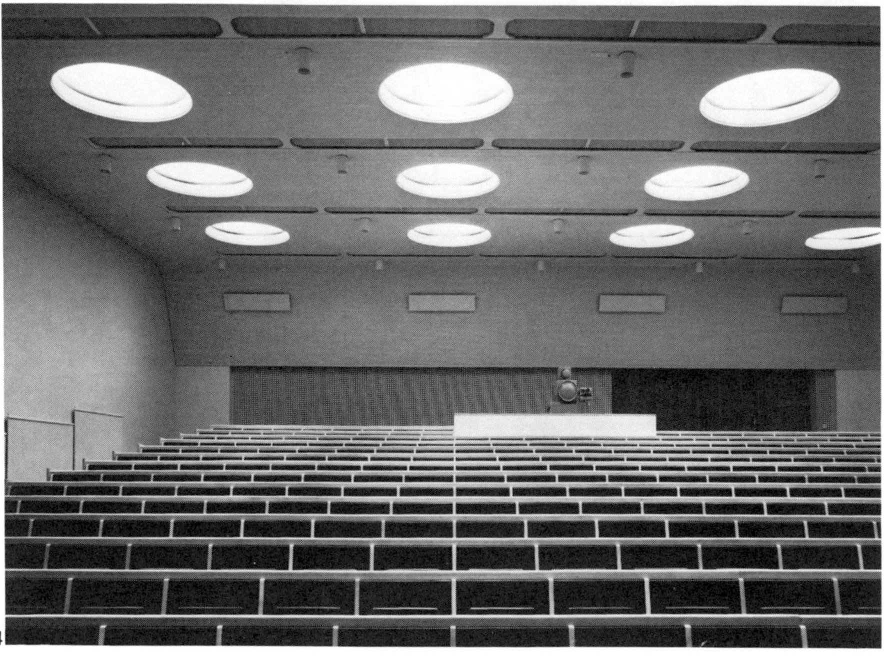
4

Reservatório de água da Escola Politécnica, Otaniemi
Projeto 1968   Execução 1969-1971

O reservatório de água foi construído para a Escola Politécnica. O espaço entre os pilares abriga as instalações técnicas e diversos laboratórios universitários de hidrologia. O teto plano serve de plataforma experimental, com vários terraços para experiências.

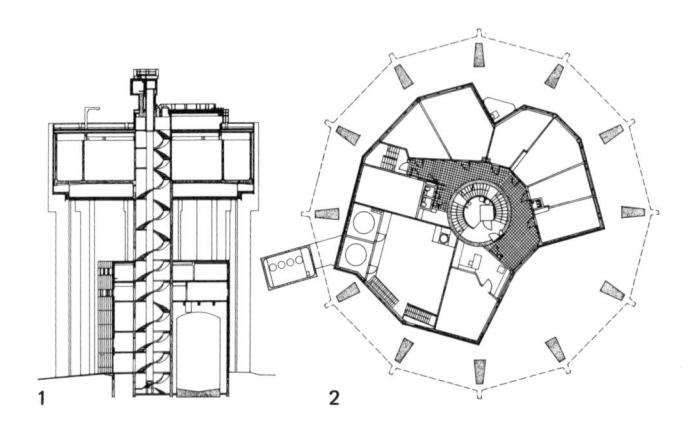

1 Corte
2 Planta com os laboratórios
3 Vista: revestimento feito de elementos pré-fabricados em concreto

Casa da Associação dos Estudantes Västmanland-Dala, Upsala (Suécia)
Projeto 1961   Construção 1963-1965

A escolha do terreno e a posição da casa tiveram de obedecer a duas condições imperiosas.
O próprio terreno é um jardim de caráter romântico, que rodeava o antigo solar, chamado Solar dos Montanheses, outrora lugar de reunião da associação. A parte mais antiga, construída graças a doações, foi conservada, enquanto a casa dos senhores teve de ser demolida, por razões diversas, técnicas, entre outras.

1 Croquis em perspectiva
2 Fachada da rua

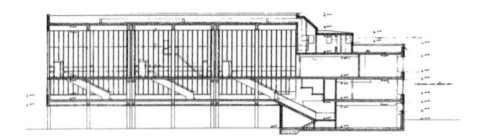

Corte longitudinal

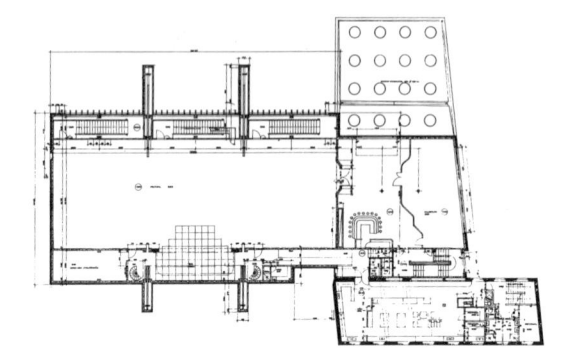

Planta da sala

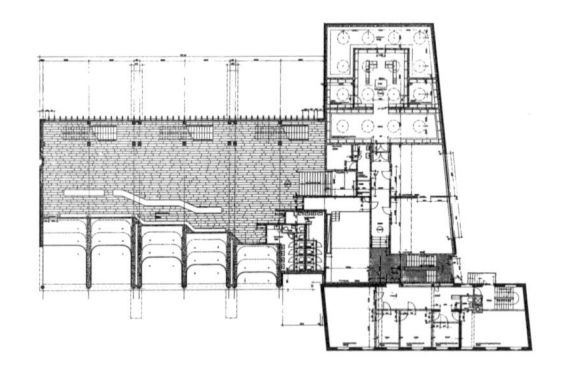

Pavimento do centro de convivência

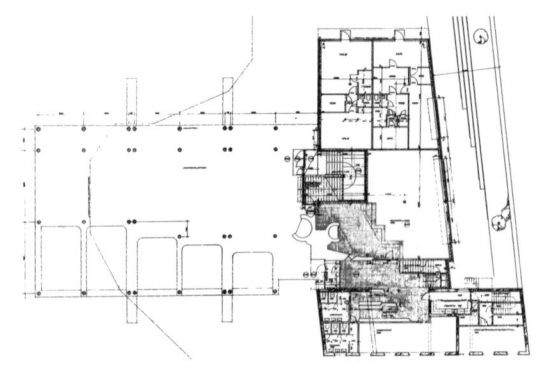

Peristilo com as entradas

1/2 Vistas externas
3 Fachada da rua com os volumes salientes onde se alojam as paredes que podem ser recolhidas

1 Salão
2 Centro de convivência
3 Detalhe da parede do salão

M.I.T. Dormitório dos idosos, Cambridge (Mass., EUA)
Projeto e construção 1947-1948
O terreno da Escola Técnica de Massachusetts situa-se numa das avenidas mais movimentadas da região de Charles River.
A fim de impedir que a vista para a rua fosse muito direta, o edifício foi encurvado. Dessa forma, nenhum dos cômodos dá perpendicularmente para a avenida e para o tráfego. Sabemos, por exemplo, que, quando se olha obliquamente pela janela de um trem, em vez de fazê-lo em ângulo reto, a imagem se agita muito menos.
A escada foi disposta de modo especial.
Um dos corpos do edifício, elevando-se em leque do lado norte, permite abraçar o conjunto a partir de um ponto central.

1 Planta de execução
2 Vista do refeitório dos estudantes
3 Detalhe da fachada com a escada

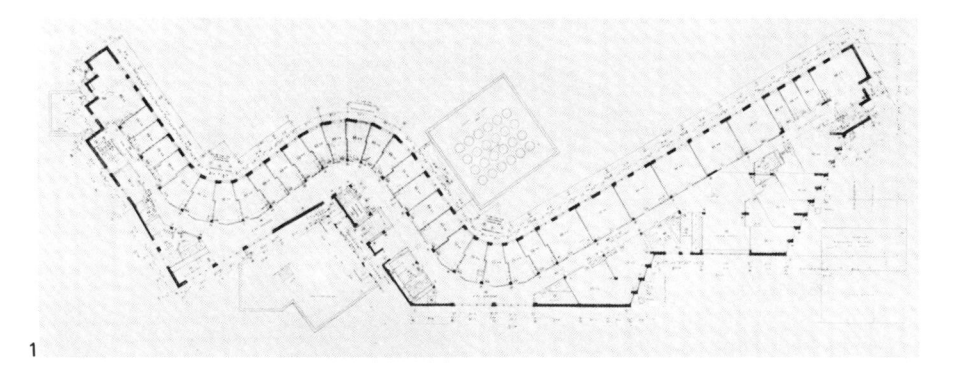

Cidade universitária, Otaniemi
Projeto 1962   Construção 1964-1966

Foi projetado um hotel para os estudantes para fazer parte da cidade universitária. Além dos estudantes, hóspedes ou grupos podem ser acolhidos como em qualquer outro hotel.
A entrada do pavimento térreo com a recepção e um café encontra-se num pátio coberto.
Os grupos possuem uma pequena cozinha e um salão, aos quais se tem acesso por escadas individuais, sem atrapalhar os grupos vizinhos.

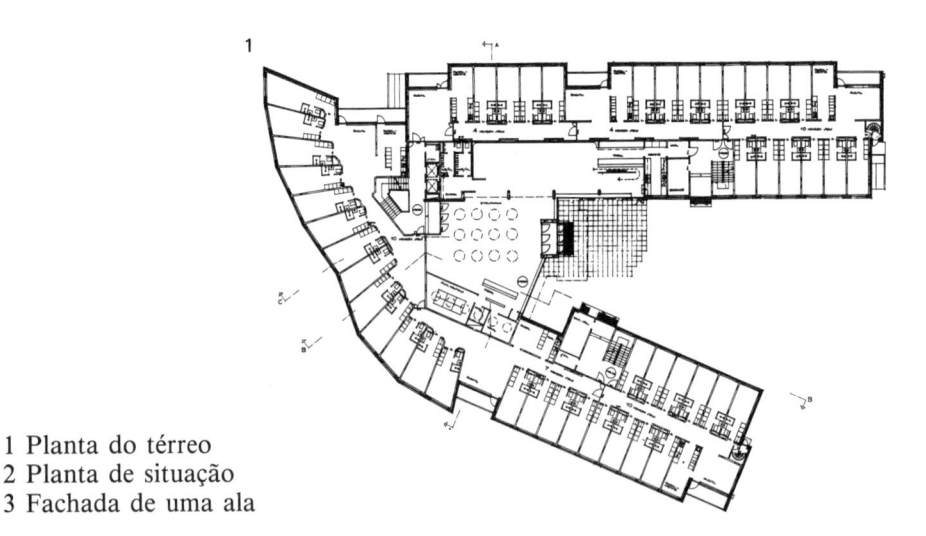

1 Planta do térreo
2 Planta de situação
3 Fachada de uma ala

Instituto de Educação Internacional, Nova York (EUA)
Projeto 1963   Construção 1964-1965

O Instituto de Educação Internacional é um estabelecimento pedagógico que trabalha com a Organização das Nações Unidas. A Fundação Kaufmann e o comitê do instituto colocaram como condição que todos os elementos interiores fossem executados na Finlândia e que o grande saguão e os outros locais formassem uma composição artística coerente. Por outro lado, propôs-se que as paredes e os elementos fixos tivessem um tratamento escultural, a fim de acentuar o caráter solene do instituto.

1 Corte com a escultura em madeira
2 Planta
3 Vista parcial do salão

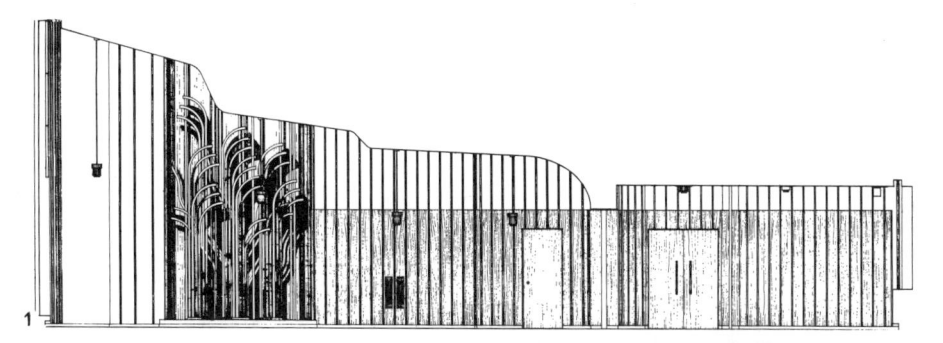

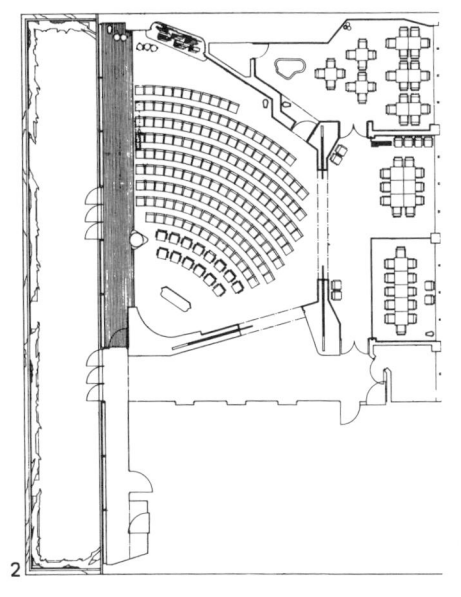

1 Detalhe da escultura
  em madeira
2 Salão

BIBLIOTECAS

Biblioteca, Viipuri (Viborg, Rússia)
Concurso 1927   1º Prêmio
Construção 1930-1935

O edifício foi destruído pela guerra russo-finlandesa e encontra-se em ruínas.
A biblioteca tinha salas de leitura em anfiteatro, uma sala de conferências, uma biblioteca infantil, uma sala de periódicos e escritórios.
O edifício foi pintado de branco para contrastar com as árvores do parque, com exceção das entradas, em pedra natural azulada.
Considerando as plantas simultaneamente, podemos entender a sobreposição dos níveis. No eixo do térreo havia a entrada principal, situada sob o depósito de livros e as salas de leitura. A vigilância e a expedição encontravam-se também nesse eixo, mas um andar e meio acima.

1 Vista aérea; à direita, a catedral
2 Entrada principal; sala de conferências à direita

1 Corte longitudinal da sala de leitura e da biblioteca
2 Planta da biblioteca principal e da sala de leitura com a seção de controle e o balcão de empréstimos; administração
3 Planta com a sala de conferências, a sala de leitura e a biblioteca infantil
4 Planta do térreo com o arquivo e a entrada da biblioteca infantil

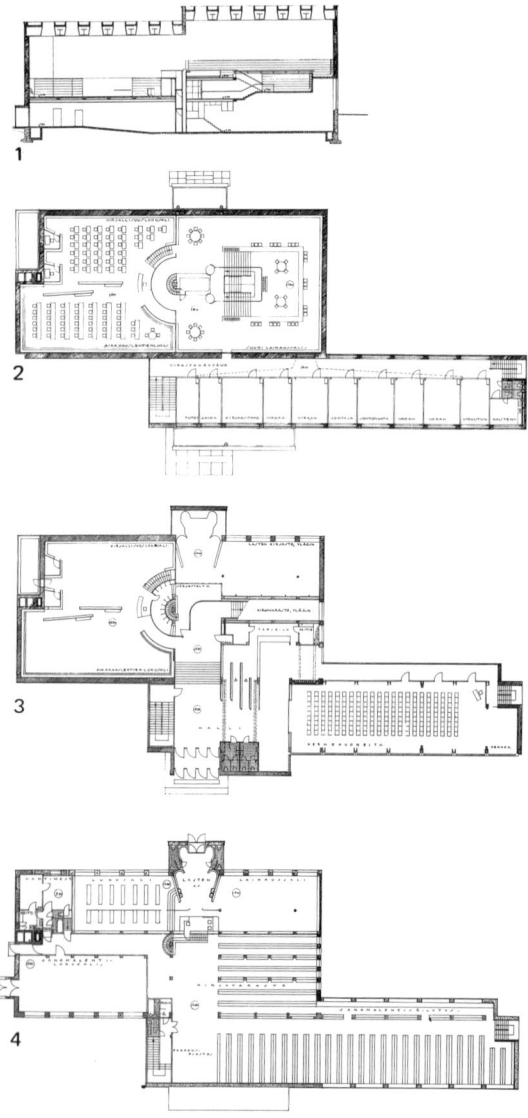

O sol não bate diretamente na sala, mas se reflete nas superfícies cônicas dos lanternins, o que dispensa o emprego de vidros opacos. Essa luz difusa é particularmente agradável para o leitor, que pode se sentar em qualquer lugar, sem ter o inconveniente da sombra ou dos reflexos. A iluminação elétrica foi concebida de acordo com a luz natural.
Os lanternins iluminavam os livros sem fazer sombra, mesmo quando alguém ficava de pé diante dos livros.

1 A disposição dos lanternins
2/3 Esboços de 1927 mostrando a iluminação natural e artificial pelos lanternins

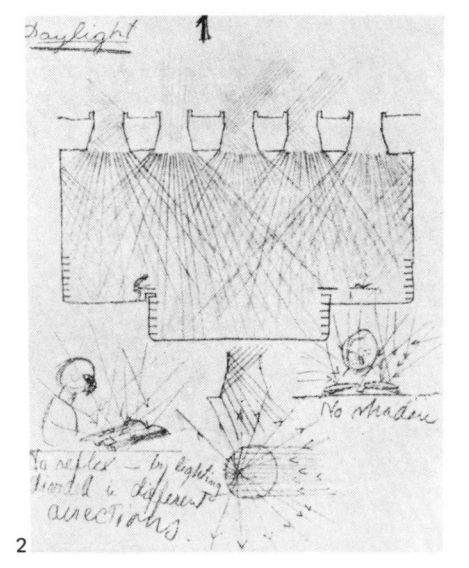

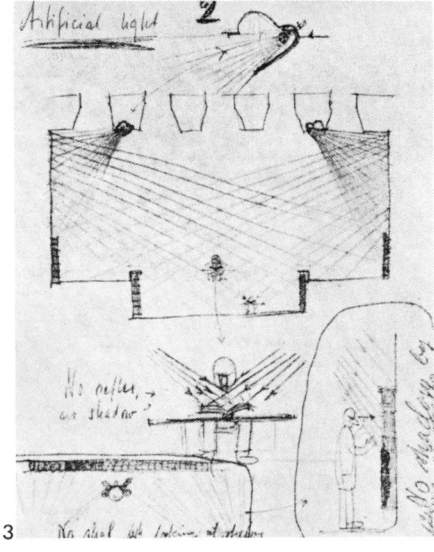

A sala destina-se tanto às noitadas de discussão quanto às conferências. O teto ondulado, constituído de varinhas finas de madeira, foi concebido para que o som das palavras se expanda o máximo possível, qualquer que seja a localização do orador.

1 Sala de conferências e debates
2 Traçado do esquema acústico durante um debate
3 Teto ondulado da sala de conferências

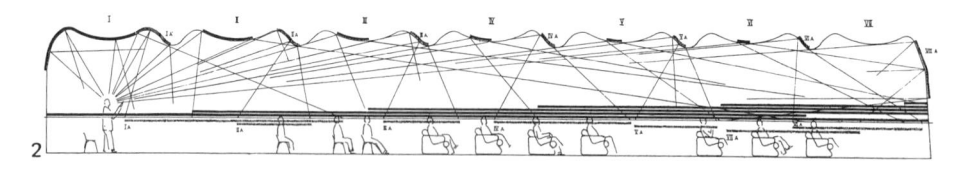

1 Biblioteca principal
2 Escadas entre a biblioteca e a vigilância; ao fundo, a sala de leitura
3 Vão envidraçado da escada

Biblioteca, Seinäjoki
Projeto 1963   Construção 1963-1965

A biblioteca forma uma parte do centro administrativo e cívico. A fachada da biblioteca fecha o lado meridional do pátio da sede da prefeitura. Os escritórios e um pequeno pátio estão situados numa ala retangular. Do lado sul, em leque, o saguão da biblioteca.

1 Planta geral
2 Vista parcial do centro administrativo e cívico

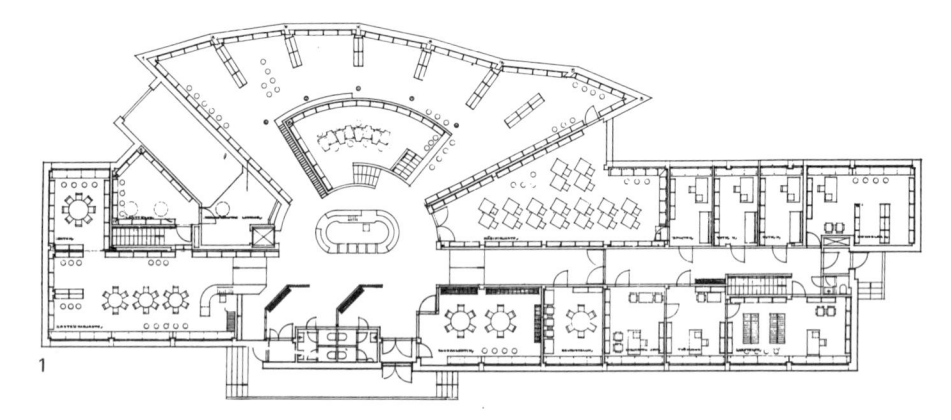

1 Corte da grande biblioteca e o canto de leitura (detalhe)
2 Fachada da entrada
3 Os quebra-sóis do salão estão dispostos horizontalmente

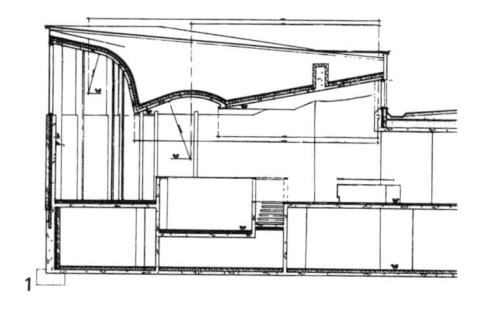

1 Salão
2 Vista da sala de leitura, com abatimento de um arco

Biblioteca, Rovaniemi
Projeto 1963   Construção 1965-1968

A biblioteca de Rovaniemi forma a primeira etapa do futuro centro cultural e administrativo.
O salão, voltado para a calma praça principal, tem iluminação do norte. É ali que se encontram a biblioteca infantil, a dos grandes personagens, o museu lapão e a sala de leitura dos estudantes. No pavimento principal encontram-se as salas de ditado, de trabalho e de estudo, as salas de discussão e de leitura, a administração com um café, a biblioteca turística, a escola infantil, a sala de conferências e de exposições, e finalmente o museu de ornitologia.
No pavimento inferior encontram-se a biblioteca de música e o museu de geologia.
Os locais destinados aos museus podem a qualquer hora ser transformados em bibliotecas.

1 Planta
2 Fachada da entrada com o salão em leque

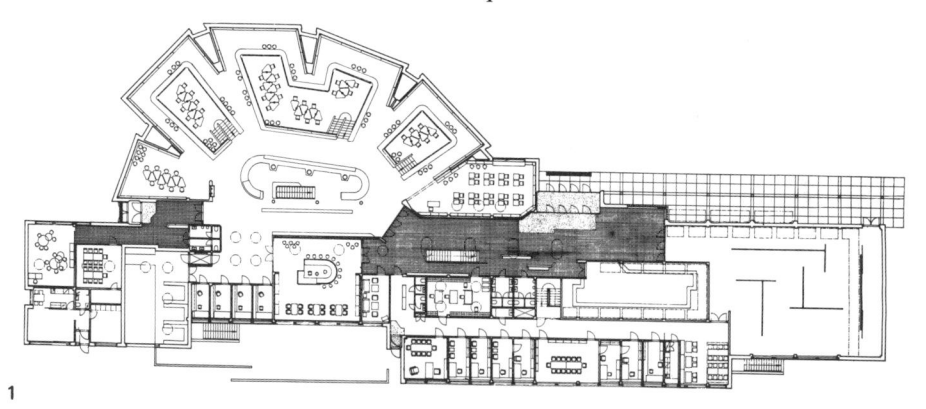

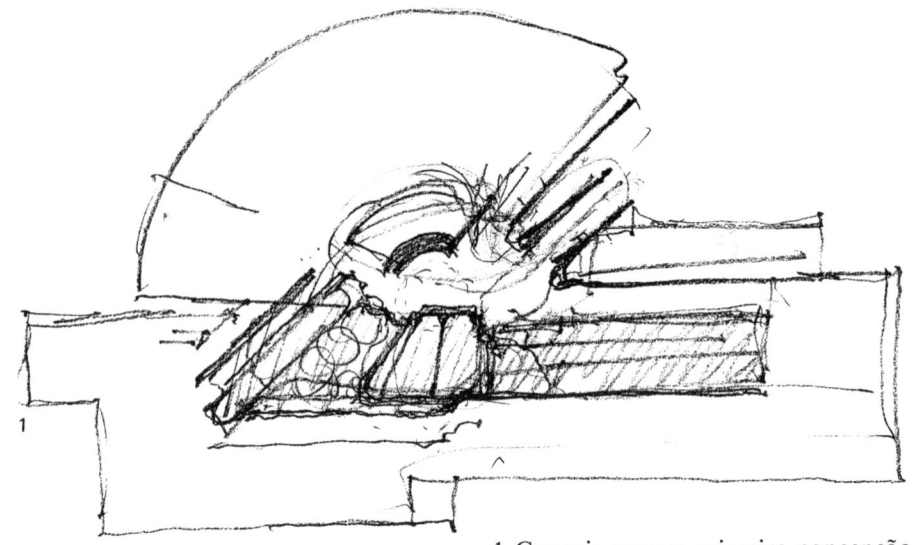

1 Croquis para a primeira concepção da planta
2 Corte transversal
3/4 Saguão

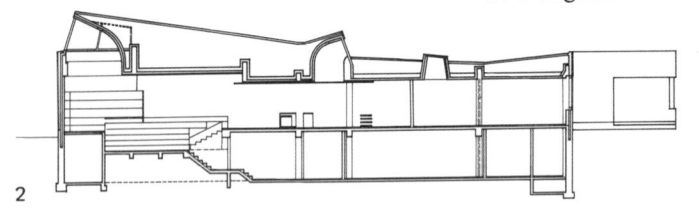

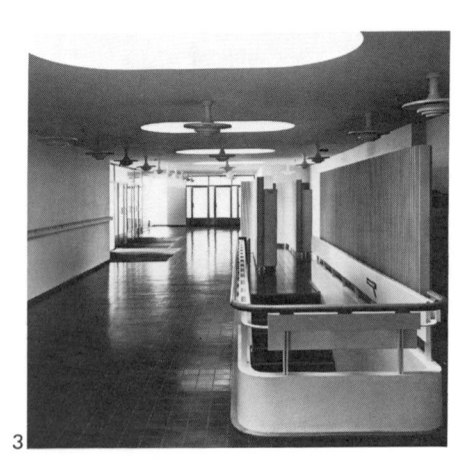

1/2 A grande biblioteca
3 Vista do serviço de empréstimos da grande biblioteca

1 Acesso da entrada principal
2 Detalhes das fachadas

Biblioteca da Escola Politécnica, Otaniemi
Projeto 1964   Construção 1965-1969

A biblioteca se estende ao longo da velha alameda que outrora conduzia ao edifício principal de uma grande propriedade agrícola. Ela beira o terceiro lado de um grande parque. Uma das entradas se encontra do lado da área dos pedestres; a outra, do lado da rua e do parque de estacionamento. As fachadas amplamente envidraçadas e as clarabóias estão voltadas para o parque.

A biblioteca forma a última etapa de um conjunto que compreende o grande auditório e a administração geral da Escola Politécnica de Otaniemi. É o coroamento do instituto, cujas primeiras plantas foram feitas há vinte e dois anos.

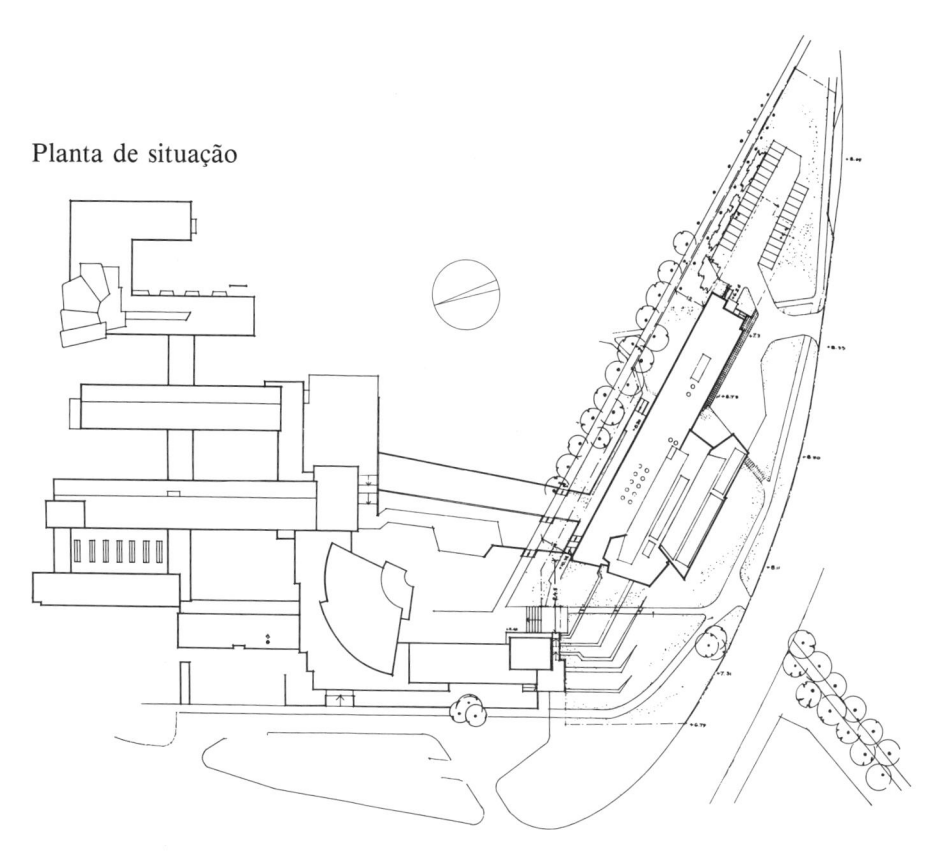

Planta de situação

1

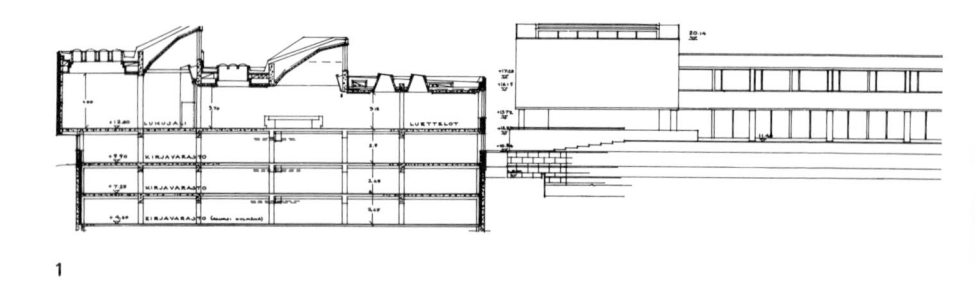

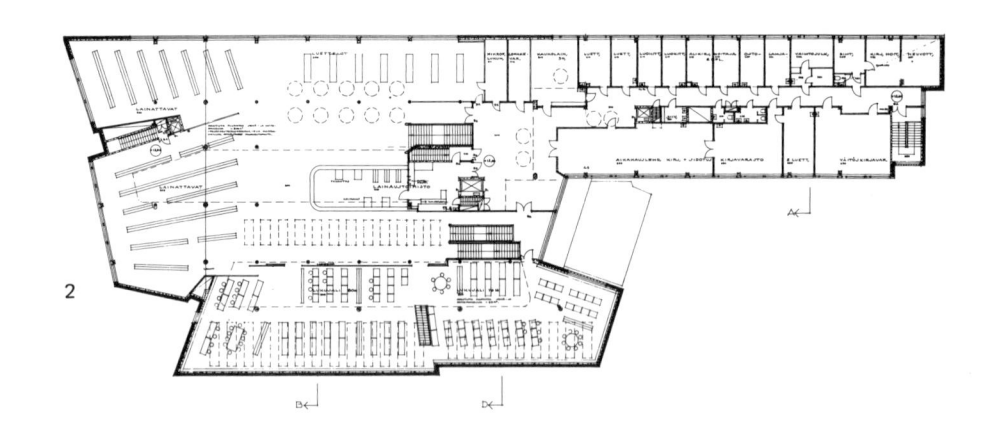

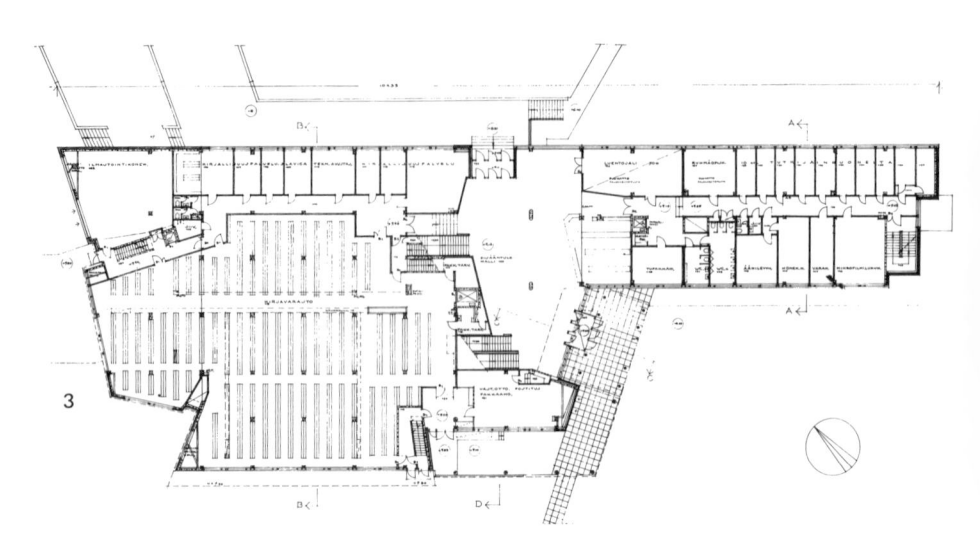

2

3

1 Corte transversal
2 Primeiro andar
3 Térreo
4 Entrada
5 Salão
6 Serviço de empréstimos e vista do salão de leitura

1 Fachada do parque e da alameda
2 Entrada principal

Biblioteca do Mount Angel Benedictine College, Mount Angel, Oregon (EUA)
Projeto 1965-1966   Construção 1967-1970

A biblioteca desse instituto beneditino, fundado no século passado, encontra-se no centro do colégio, onde somente as alas baixas da entrada são visíveis. O edifício propriamente dito se situa do lado da colina, o que evita a intrusão de uma massa imponente no conjunto.

1 Vista da biblioteca construída no declive íngreme do terreno
2 Maquete do conjunto

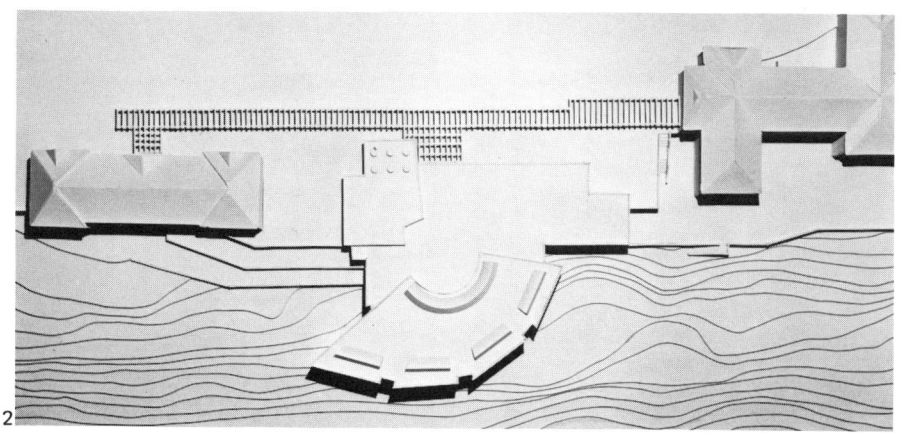

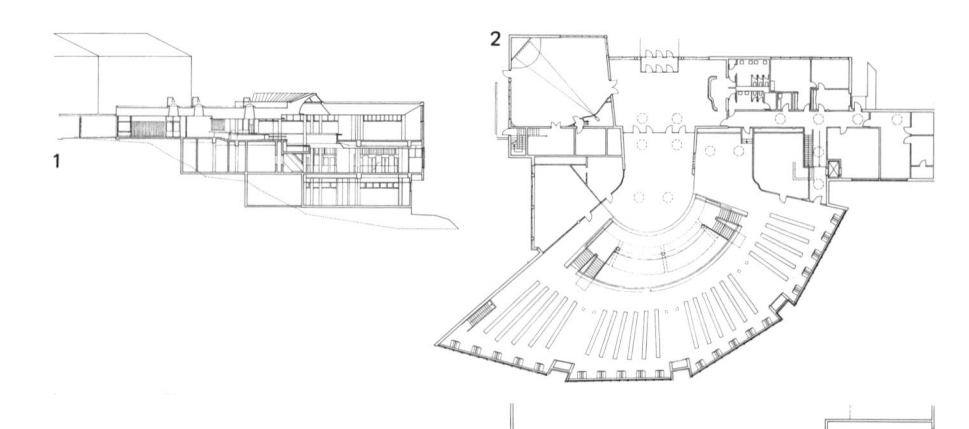

1 Corte transversal. O edifício utiliza o declive do terreno. As galerias dispostas em vários níveis formam o centro do estabelecimento
2 A planta do térreo. A ala da entrada, que tem apenas a altura de um andar, comporta a administração e uma sala de conferências. A biblioteca forma uma grande sala de leitura
3 Planta do pavimento térreo inferior: o salão
4/5 Vista da parte central com as galerias munidas de carteiras contínuas

Biblioteca Municipal, Kokkola
Projeto 1966

A fim de aumentar o valor do edifício e de criar um centro cultural para a cidade, foi proposta a inclusão de um pequeno teatro polivalente num parque à beira da água.
A biblioteca se encontra no primeiro pavimento. A distribuição dos livros fica no centro, de onde se irradiam as seções. As clarabóias espalham a luz natural pela sala.

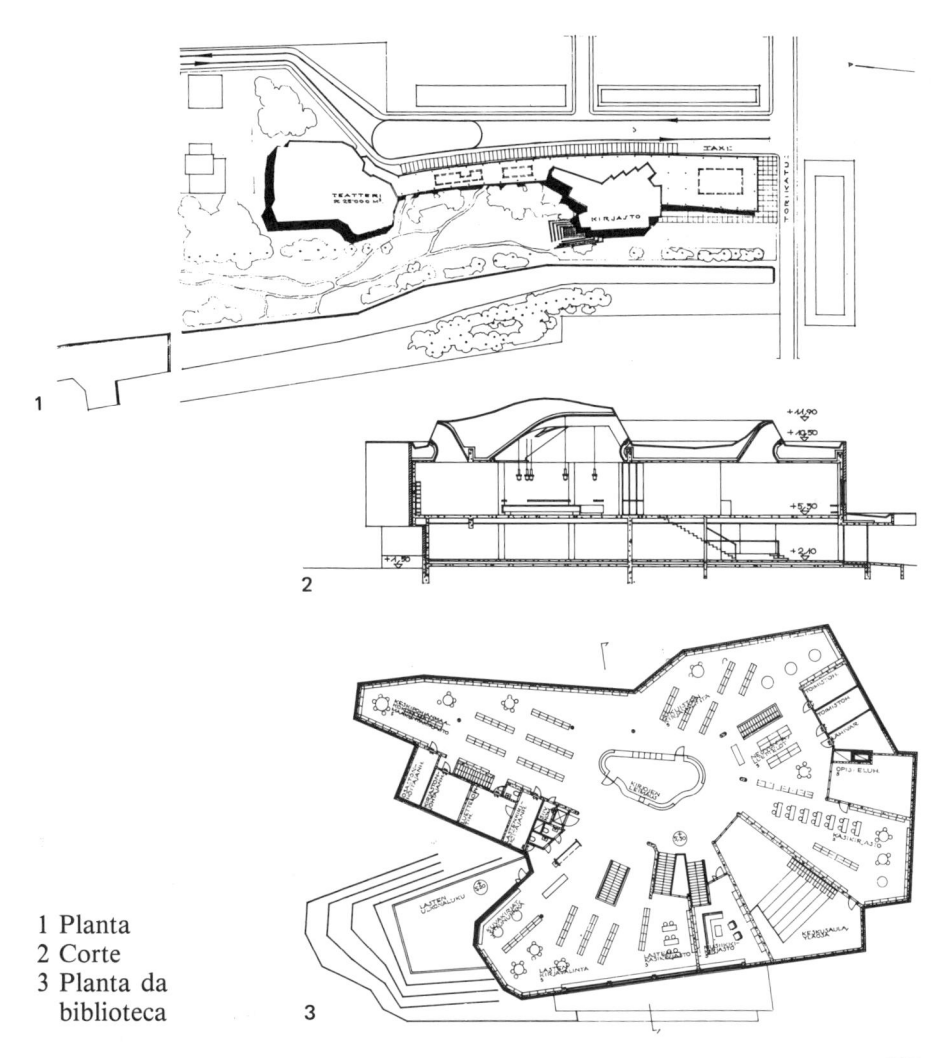

1 Planta
2 Corte
3 Planta da biblioteca

CENTROS ESPORTIVOS

Pavilhão de Esportes, Otaniemi
Construção 1950-1952

O Pavilhão de Esportes forma o centro do setor esportivo da Escola Politécnica de Helsinki. A sala foi construída em 1952 por ocasião dos jogos olímpicos.
Todos os exercícios de atletismo leve podem ser praticados no pavilhão.
A arquitetura foi determinada pela pista de corrida e pelo arremesso de dardo. A construção é de estruturas de madeira pregada, juntadas no chão e prontas para serem montadas.
Uma área inclinada, espécie de tribuna, liga o salão de esportes à pequena sala de tênis, instalação que permite aos espectadores assistirem às competições nas duas salas sem se deslocarem muito.

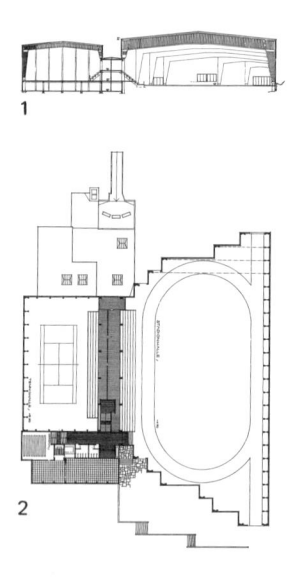

1 Corte transversal   2 Planta
3 Maquete do salão de esportes
4 Vista do interior

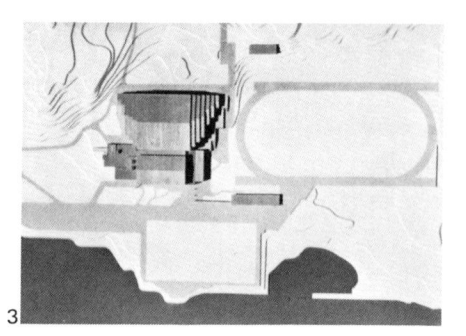

Centro esportivo e musical, Viena (Áustria)
Concurso 1953   1º prêmio   Não realizado

O projeto comportava um pavilhão de esportes que também podia ser utilizado como sala de concertos, com 25.000 lugares, e como sala de exposição com uma quantidade de locais secundários para congressos, natação e outras finalidades.

O centro do projeto é formado por um anfiteatro com uma arena sob um telhado suspenso, à maneira de uma ponte-levadiça, cobrindo todas as outras salas.

A acústica é determinada por um sistema de laminados móveis. A entrada para os automóveis do lado da praça é subterrânea, com escadas que dão acesso ao nível das salas. A entrada dos pedestres que vêm do parque e descem dos bondes e dos trens situa-se num pátio quadrado.

O edifício distingue-se pela forte inclinação de seu teto em cobre e pelas paredes inclinadas das salas, levantadas por lâminas metálicas.

Maquete vista de sudeste. No primeiro plano, a rampa de acesso para os automóveis. Em cima, a piscina. À direita, as entradas e os caixas. Atrás do salão, as quadras de tênis

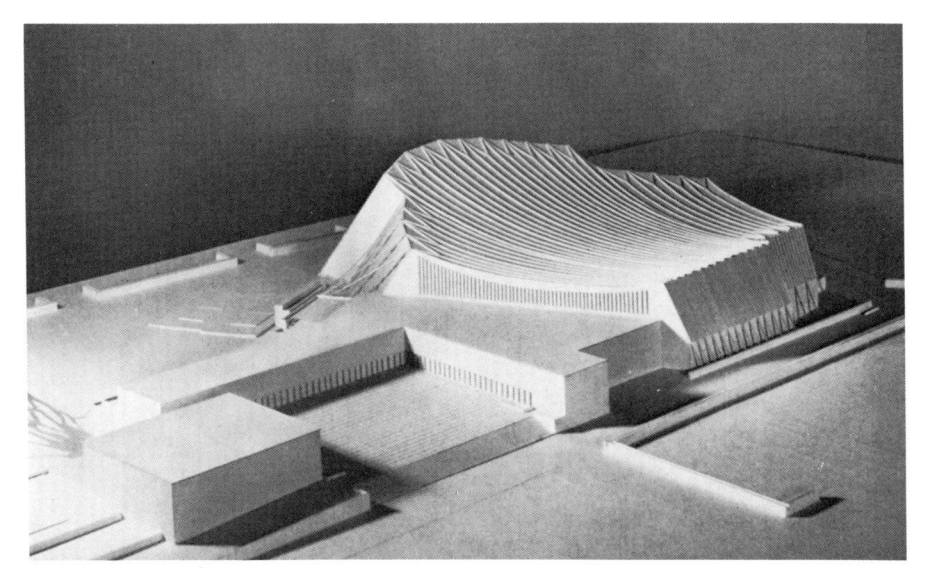

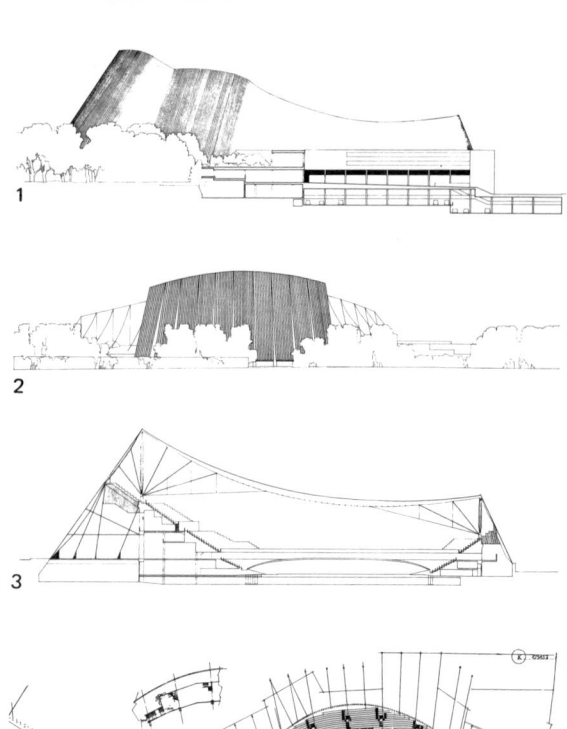

1 Salão visto do sul. Sob a praça, estacionamento dos carros. Acima dos caixas, a administração, a sala de imprensa e de rádio. À esquerda, o restaurante
2 Fachada oeste
3 Corte do salão
4 Planta do salão
5 Planta ao nível da entrada. À extrema esquerda, a piscina; no alto, o boliche. Ao lado do salão, as salas de esporte (atletismo, boxe, ginástica e tênis)

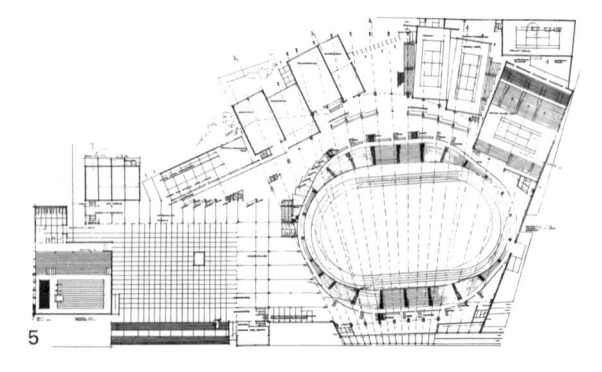

Centro esportivo da Universidade de Jyväskylä
Projeto 1967-1968   Execução 1968-1970
O centro esportivo situa-se na extremidade do jardim interior da universidade pedagógica, construída nos anos de 1953 a 1955, arrematando-a.
O instituto tem laboratórios e instalações para pesquisa, salas de aula e uma pequena clínica para os estudantes. As quatro salas de ginástica servem para jogar bola, para exercícios com aparelhos, ginástica feminina e balé.

1 Planta de situação dos edifícios acabados
2 Vista da sala de ginástica
3 Vista do nordeste

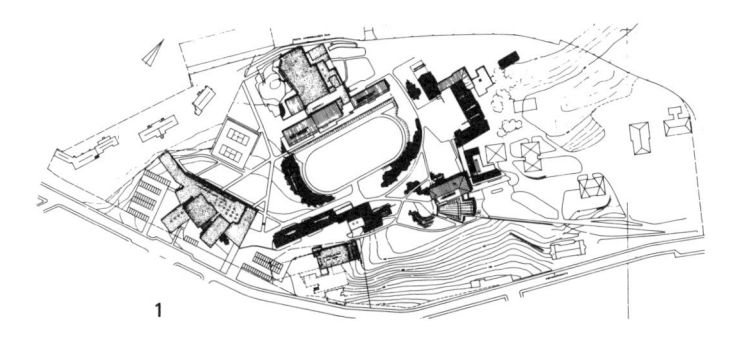

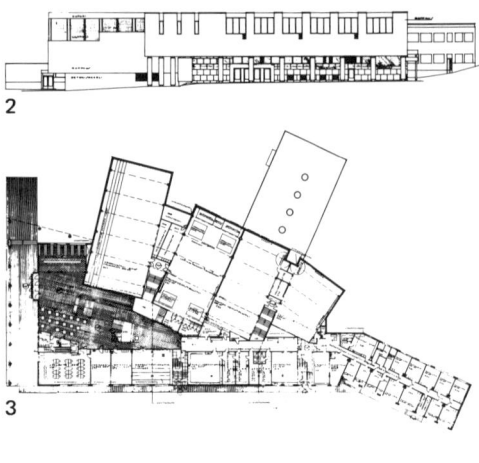

1 Detalhe da escada
2 Fachada da entrada
3 Planta do térreo
4 Saguão

Ampliação da piscina da Universidade de Jyväskylä
Projeto e execução da 1ª etapa 1962-1963
Projeto e execução da 2ª etapa 1967-1968 e 1973-1975

A nova piscina faz parte do novo centro esportivo da Universidade de Jyväskylä. Forma um anexo da piscina existente, que finalizara as instalações da Escola Superior de Pedagogia. Esse novo centro de natação é aberto ao público. Um solário encontra-se ao lado da piscina pequena.

1 Piscina
2 Corte da antiga e da nova piscina
3 Planta

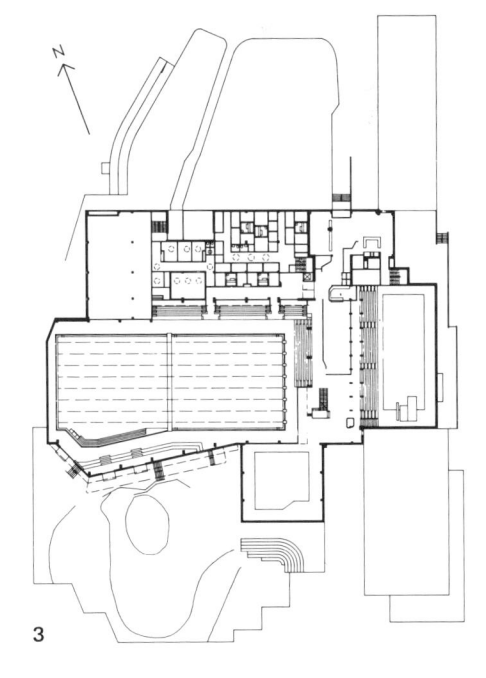

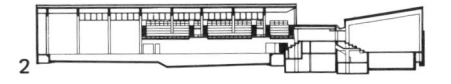

ESCRITÓRIOS E EDIFÍCIOS ADMINISTRATIVOS

Sede do jornal *Turun Sanomat*
Projeto 1927-1928   Construção 1928-1929

O edifício foi desenhado para o jornal *Turun Sanomat*, cuja sede se situa numa das artérias comerciais de Turku, entre dois imóveis.
A construção é uma estrutura em concreto armado com paredes isolantes em concreto celular, cuja superfície foi revestida de uma tela com um reboco especial, laqueado e pintado.

1 Fachada para a rua
2 Planta da entrada e disposição dos pilares
3 A primeira página do jornal é projetada de dentro numa tela

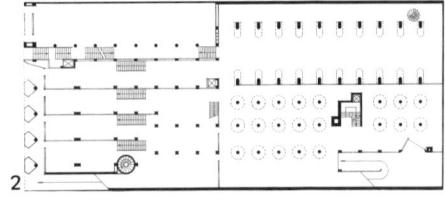

Os telhados planos foram providos de diversos lanternins. Foi a primeira vez que se tentaram as cúpulas de vidro de grande dimensão, colocadas sobre cones de concreto.
As lajes inteiras foram dispostas sobre pilares simétricos e assimétricos.

1 Lanternins redondos vistos de fora. Primeiras tentativas
2 Lanternins vistos de dentro
3 Entreposto
4 Sala das máquinas
5 Detalhe da escada

Centro cultural e administrativo "Forum redivivum", Helsinki
Concurso 1948 1º prêmio

Esse concurso foi um dos primeiros grandes concursos em Helsinki depois da guerra. O programa previa a sede das Aposentadorias Populares, uma sala de concertos e outras manifestações, salas de exposição, escritórios de aluguel, residências e lojas, um restaurante e várias salas de lazer. O projeto foi concebido de forma a criar uma área para os pedestres separada da circulação dos automóveis. Foram propostas duas soluções: um centro menor e um outro maior onde haveria uma praça de mercado.

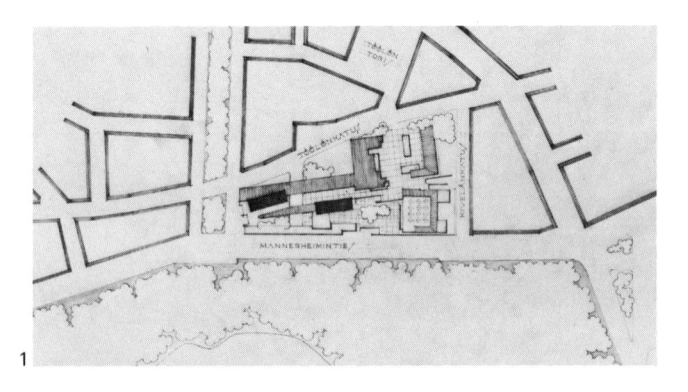

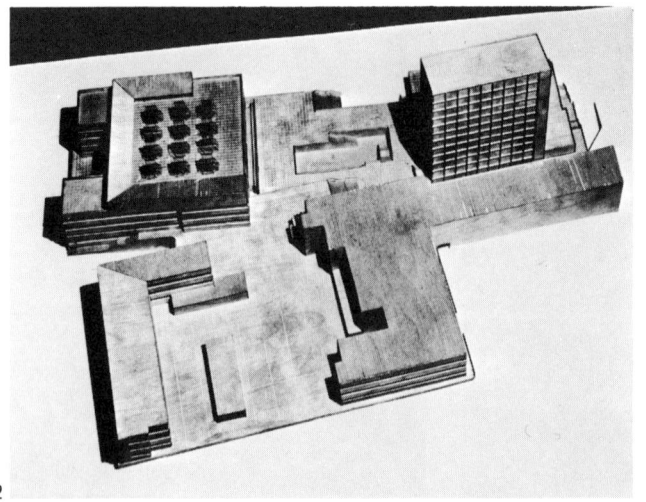

1 Planta de situação do conjunto concluído com a nova praça do mercado e os acessos ao parque existente
2 Maquete

1 Maquete de estudo
2 Corte através do prédio de escritórios e o edifício das Aposentadorias Populares
3 Vista
4 Planta com a praça do mercado

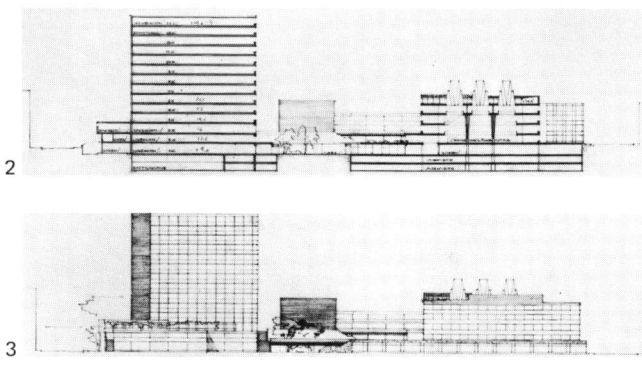

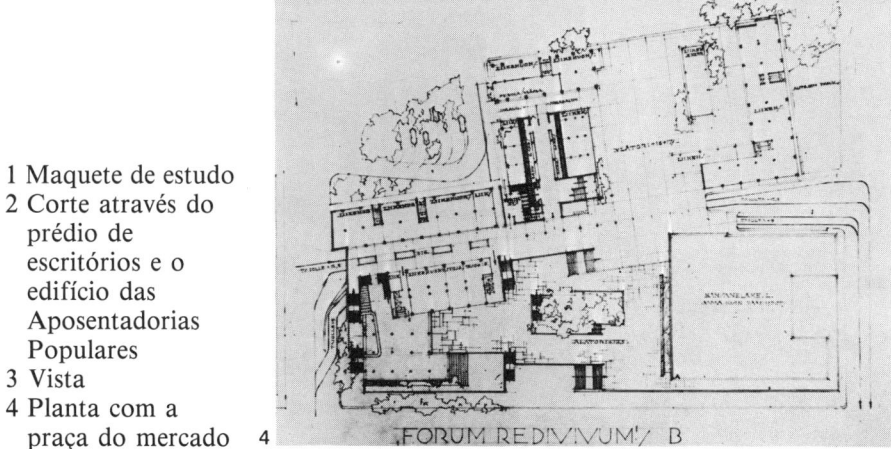

Instituto Finlandês das Aposentadorias Populares, Helsinki
Concurso 1948   Construção 1952-1956

O programa comportava um edifício administrativo para 800 empregados. A sua linha deveria se distinguir da dos edifícios comuns, apertados nos bairros urbanos.

O edifício compreende 110.000 m³, com várias alas ao redor de um pátio-jardim elevado, longe do barulho do tráfego. As alas são ligadas entre si, às vezes subterrâneas, e formam um conjunto coerente.

Na construção, vários sistemas encontraram uma aplicação experimental, como, por exemplo, paredes que absorvem o barulho, para assegurar a tranqüilidade dos empregados, ou um aquecimento por irradiação, com formas muito bem estudadas.

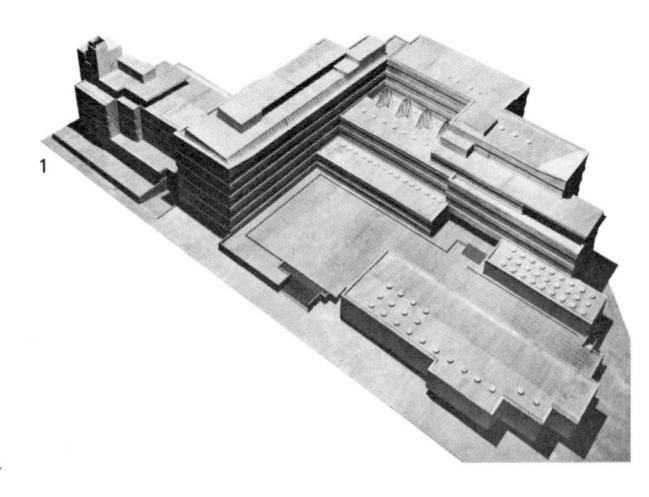

1 Maquete
2 Fachada da entrada

1 Corte através do grande vestíbulo
2 Pavimento da diretoria com as salas de conferência
3 Planta com os escritórios

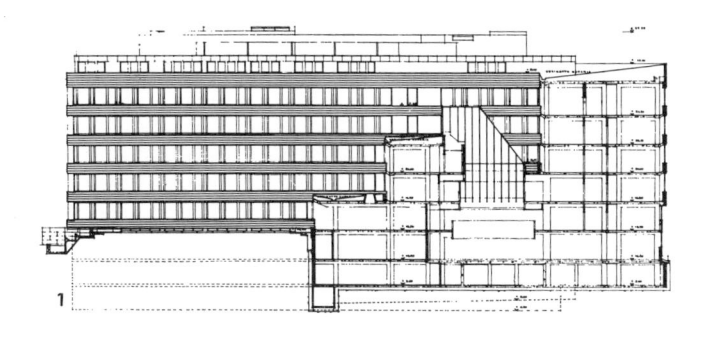

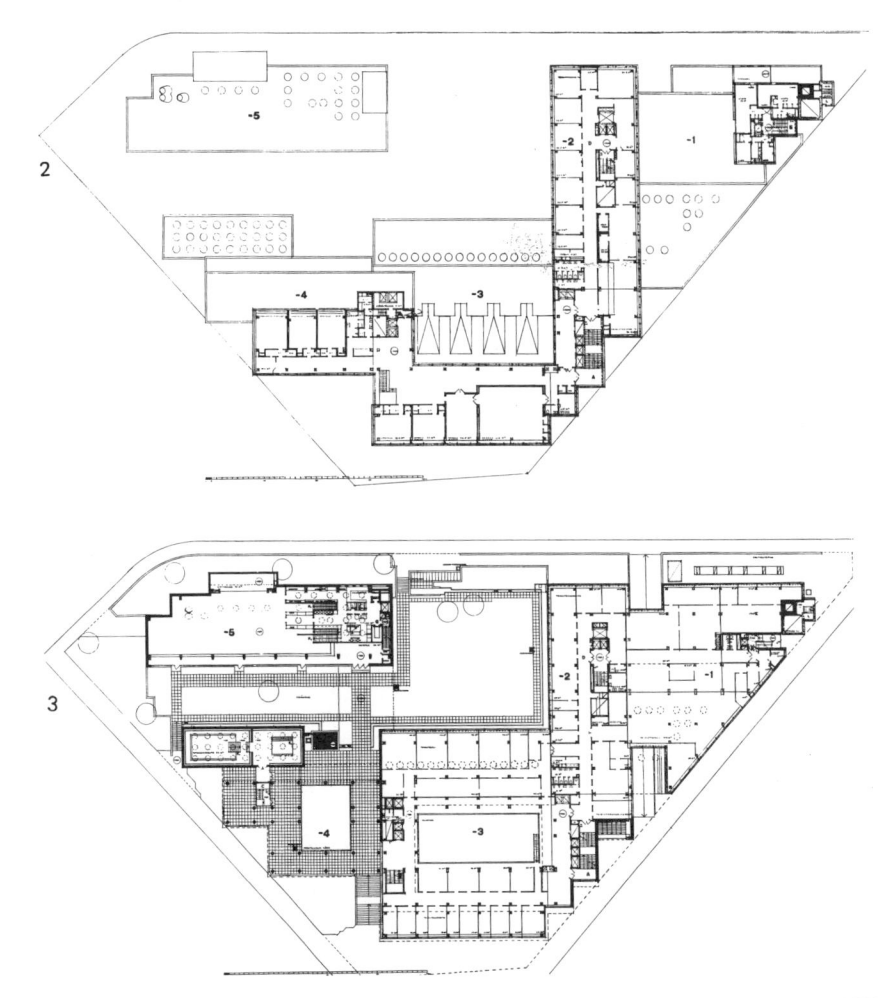

1 Rampa de acesso ao restaurante
2 Cortes através dos lanternins do salão
3 Restaurante dos empregados
4 Grande vestíbulo
5 Biblioteca

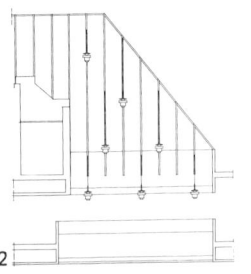

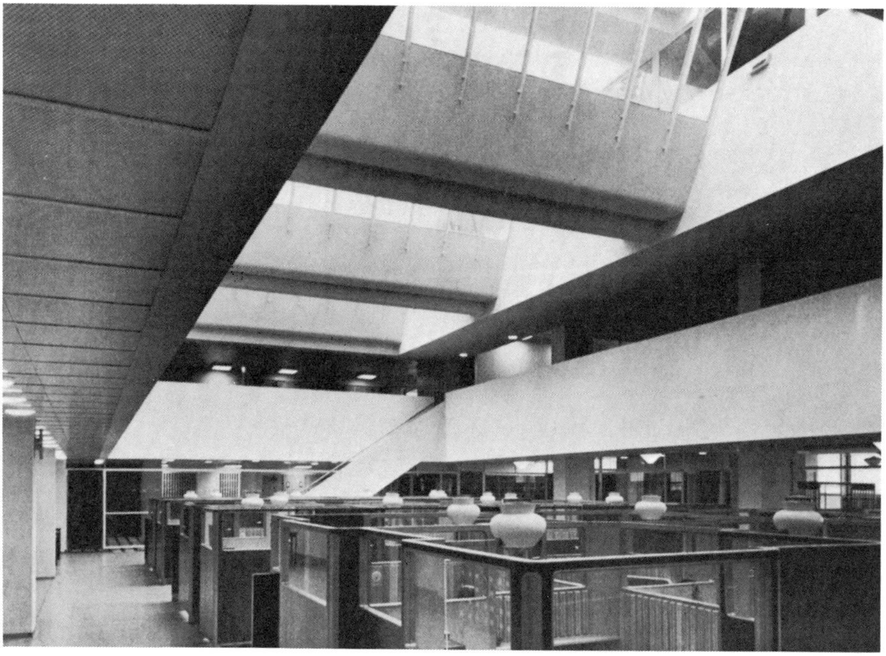
4

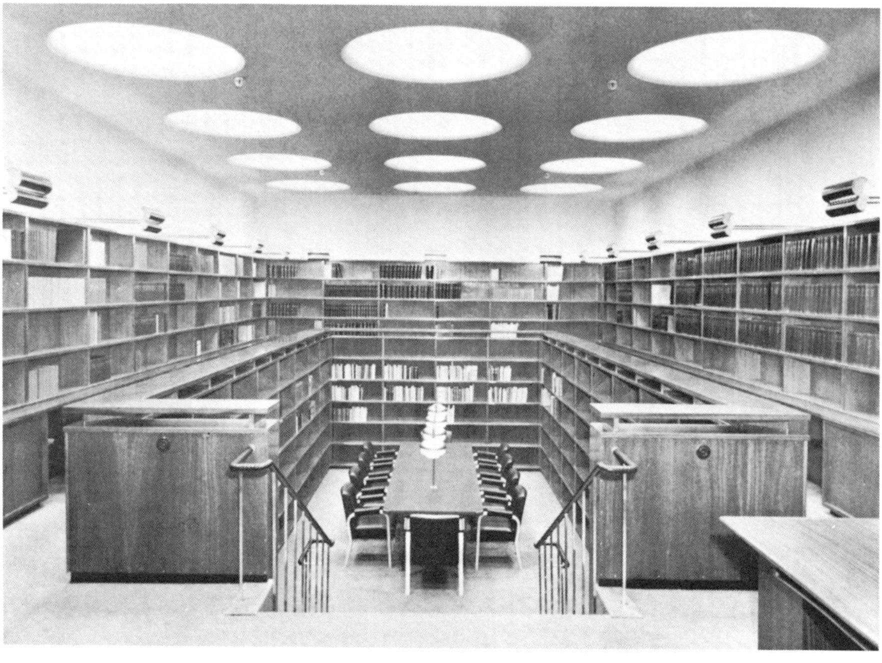
5

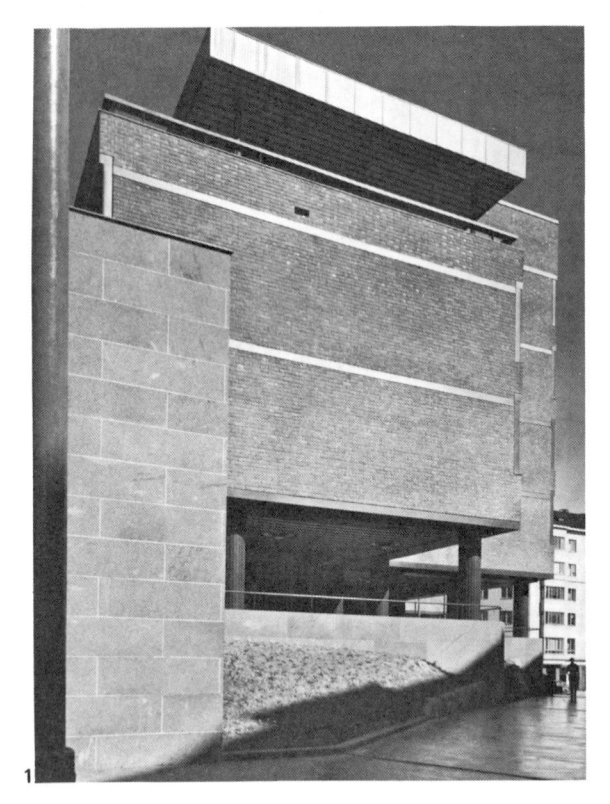

1 Fachada lateral
2 Fachada voltada para o jardim

Edifício comercial "Rautatalo", Helsinki
Concurso 1952   Construção 1953-1955

Uma das tarefas essenciais era a adaptação desse edifício administrativo ao seu entorno, ou seja, aos imóveis construídos no centro da cidade de 1925 a 1930. Procurou-se tratar a estrutura de concreto de forma a que ela correspondesse à linha dos edifícios próximos. A fachada em vidro não é portentosa. O interior se organiza ao redor de um pátio de travertino, coberto de lanternins, cujo sistema foi aperfeiçoado em comparação ao utilizado na Biblioteca de Viipuri (Viborg).

Acima dos lanternins, instalou-se a iluminação de forma a obter o mesmo efeito de noite e de dia. Esta ajuda, no inverno, a derreter a neve.

A fachada para a rua é revestida de cobre e isolada com cortiça. Os frontões são em tijolo aparente.

Fachada para a rua

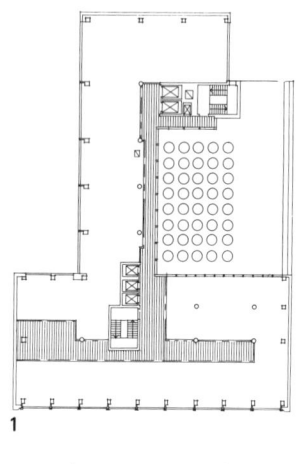

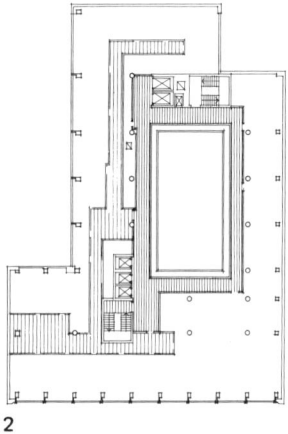

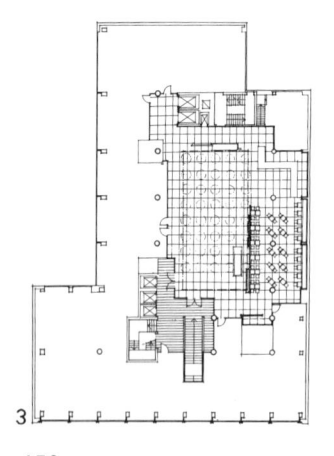

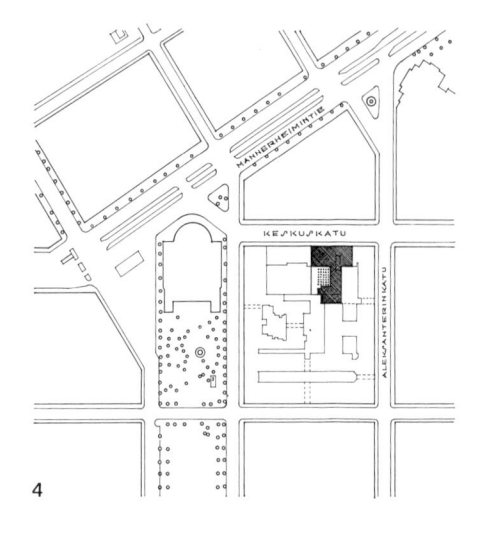

1 Pavimento dos escritórios
2 Planta do pavimento dos escritórios
3 Planta do vestíbulo
4 Localização
5 Corte longitudinal
6 Vestíbulo com lanternins
7 Chafariz no vestíbulo central
8 Vestíbulo com lanternins

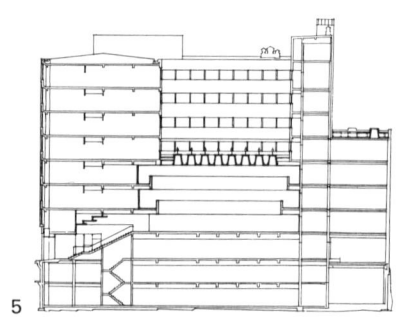

6
7
8

Ateliê do arquiteto, Helsinki
Construção 1953-1956

A casa foi construída em 1956 na cidade-jardim de Munkkiniemi, nas proximidades de Helsinki, e dispõe de todo o necessário a um escritório de arquiteto.
Há dois salões de desenho, a secretaria, arquivos e uma sala de conferências. Os dois salões são igualmente tratados e podem ser utilizados indiferentemente para trabalhos mais ou menos importantes.
Não há janelas para a rua, o que evita o barulho. O ateliê, em compensação, abre-se amplamente para o jardim, onde se encontra uma espécie de anfiteatro ao ar livre, destinado a conferências ou atividades de recreação.

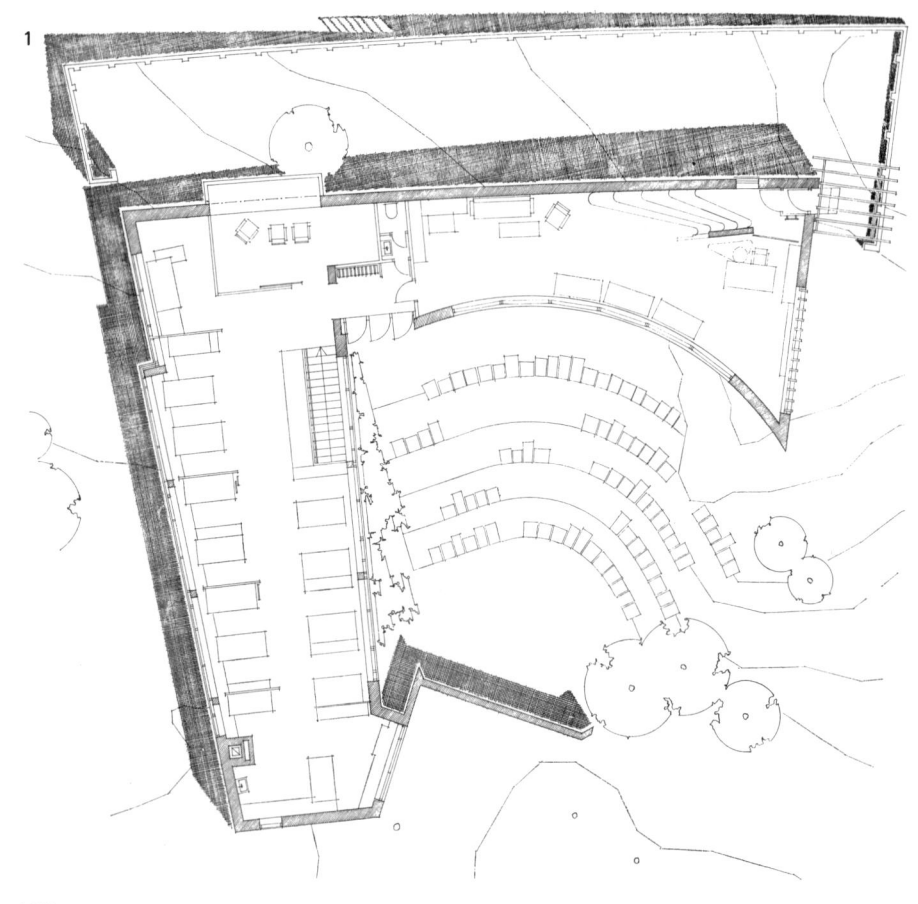

1 Planta do pavimento principal
2 Interior curvo do ateliê
3 Salão de desenho
4 Jardim

Sede da sociedade Enso-Gutzeit, Helsinki
Projeto 1959   Construção 1960-1962

O edifício situa-se no centro clássico de Helsinki. De certa forma, ele faz a transição entre o bairro e o mar junto à praça do Mercado, que se abre para o porto. É uma disposição que lembra um pouco o Cais dos Esclavos em Veneza.
Ao mesmo tempo, situa-se na perspectiva da grande artéria da cidade. O arquiteto procurou harmonizar a linha do edifício moderno e a arquitetura antiga.

1

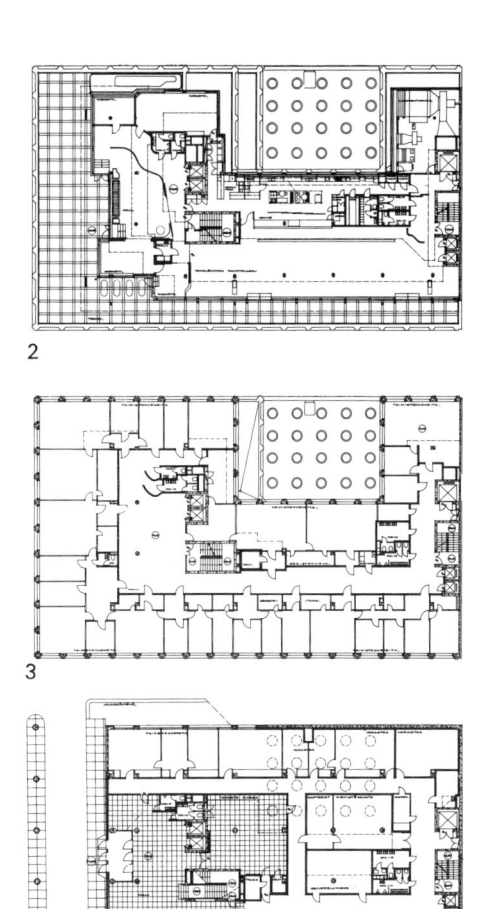

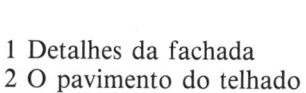

1 Detalhes da fachada
2 O pavimento do telhado
3 Um protótipo de pavimento
4 Térreo
5 Corte longitudinal

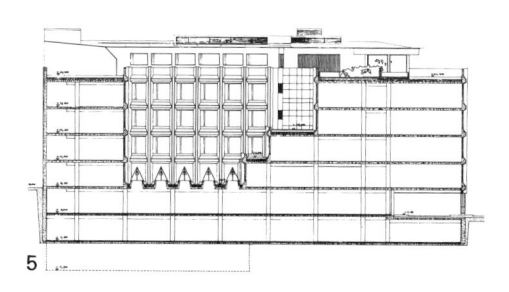

1 Detalhe da entrada
2 Fachada
3 Fachada longitudinal

Edifício do Banco Nórdico, Helsinki
Projeto 1962   Construção 1962-1964

Os edifícios de meados do século XIX formam o contexto das ampliações do Banco Nórdico. Na Esplanada encontram-se os edifícios administrativos e comerciais; na avenida Alexandre e no centro monumental da cidade

1 Detalhe da fachada
2 Vista da Esplanada
3 Fachada

encontra-se a praça do Mercado com construções estilo Império, cujo conjunto é dominado pela igreja de C. L. Engel.
A arquitetura e as dimensões da nova fachada revestida de latão procuram se adaptar ao ambiente em que se encontram.

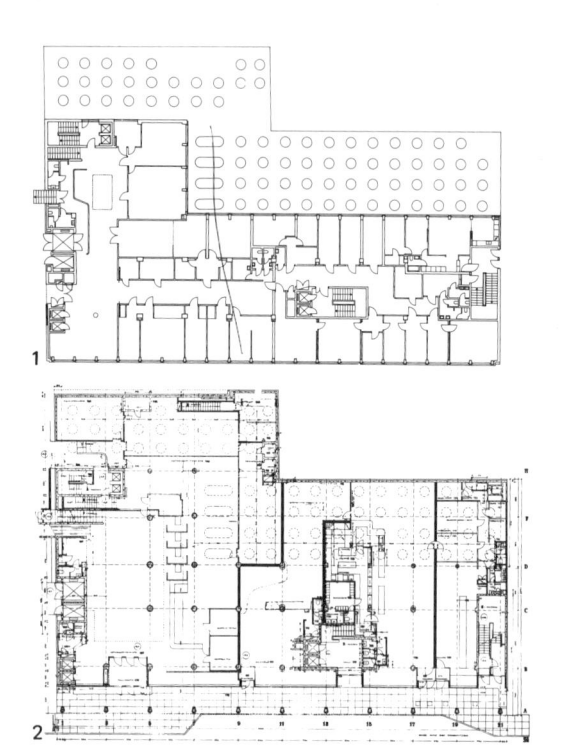

1 Um protótipo de pavimento
2 Térreo
3 Peristilo
4 Saguão do Banco

Livraria universitária, Helsinki
Concurso 1962   Construção 1966-1969

Esse edifício forma um conjunto com os Grandes Magazines Stockmann, situados em frente, na Keskuskatu. A área de pedestres e o parque de estacionamento localizam-se no subsolo. A livraria e suas múltiplas seções ocupam o grande espaço interior que engloba três andares. A administração se localiza nos cinco andares superiores.

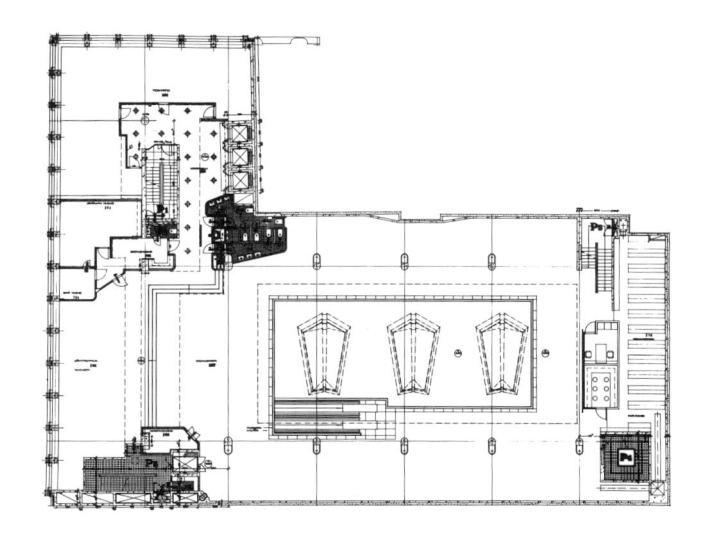

Planta da primeira galeria

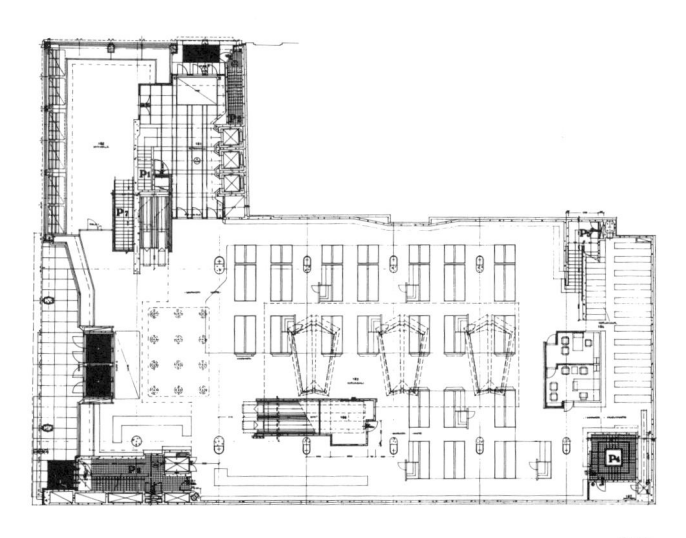

Planta do térreo

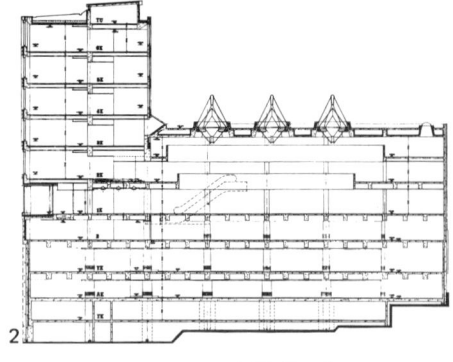

1 Fachada
2 Corte longitudinal
3 Vista do salão

Caixa Econômica Ekenäs, Tammisaari
Projeto 1964   Construção 1965-1967

Esse banco com a ala das lojas e dos escritórios constitui a primeira etapa de um centro de habitação e de negócios em Tammisaari (Ekenäs em sueco), antigo porto de pescadores a oeste de Helsinki.
As velhas casas de madeira pintadas de branco, com suas cercas, dão a essa localidade um charme muito especial, onde o branco, o verde das árvores, o azul escuro do mar e o azul do céu formam um contraste encantador.

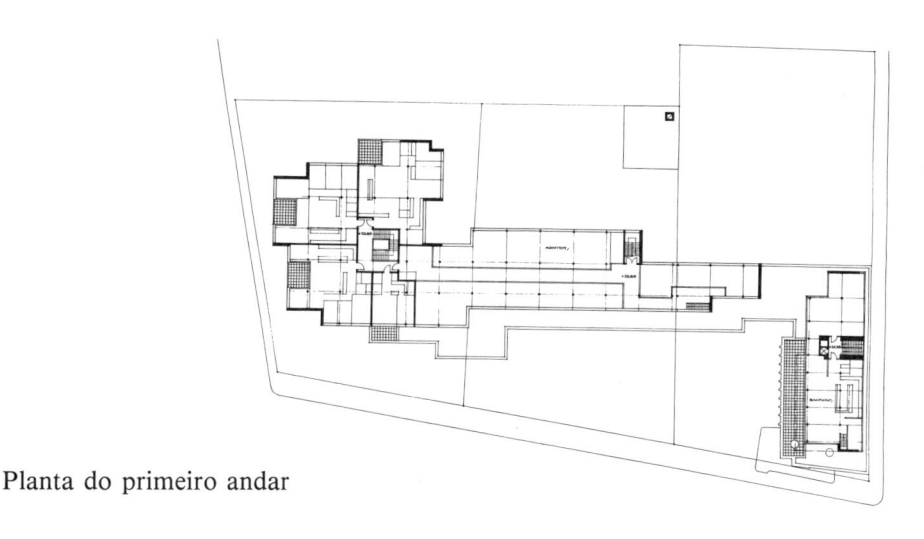

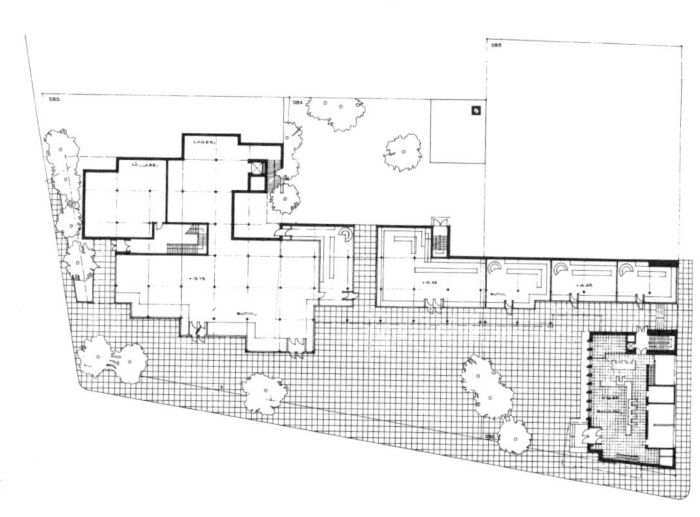

Planta do primeiro andar

Planta do térreo

1 O banco e os
  edifícios anexos
  são brancos
2 Fachada

Edifício administrativo Pohjola "Maiandros", Helsinki
Concurso 1965

O concurso foi organizado por uma sociedade particular para a construção de sua sede principal. O cliente desejava grandes superfícies desprovidas de corredores.
A disposição horizontal é feita de quadrados e de espaços livres, como que em meandros, o que permite uma variedade de organizações e aumenta a iluminação natural. O barulho da via expressa próxima foi amortecido por uma parede ondulada tridimensional em concreto. Os arredores arborizados foram salvaguardados na medida do possível.

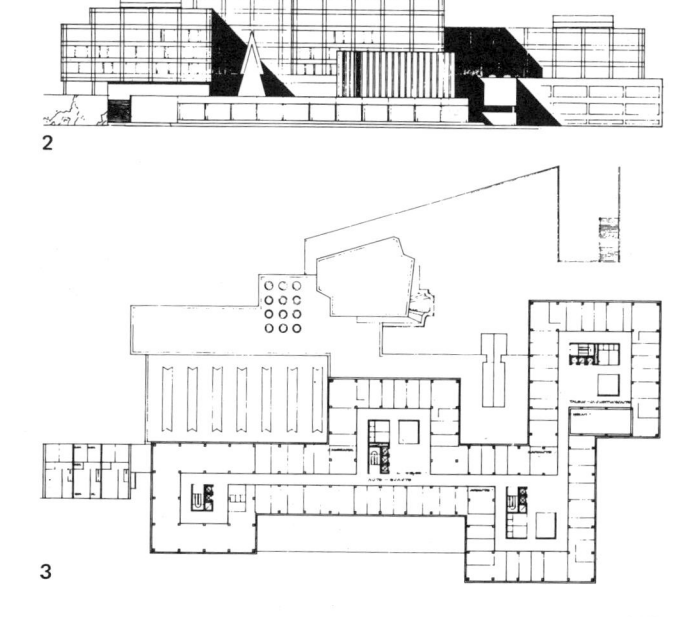

1 Maquete
2 Fachada do jardim
3 Protótipo de pavimento de escritórios

Edifício da delegacia de polícia, Jyväskylä
Projeto 1967-1968 Execução 1970

A execução do posto de polícia municipal e regional forma a primeira etapa do centro administrativo e cultural projetado para a cidade de Jyväskylä. Nele se encontram todas as seções e todos os escritórios. O aspecto exterior é sóbrio e despretensioso. O único elemento escultural é a parede de concreto que dá para a área verde e que, mais tarde, será incorporada ao teatro.

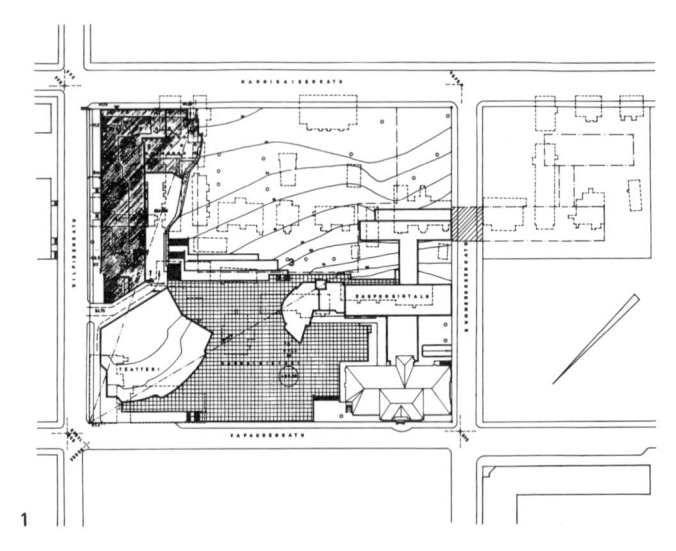

1 Planta de situação
2 Fachada da entrada

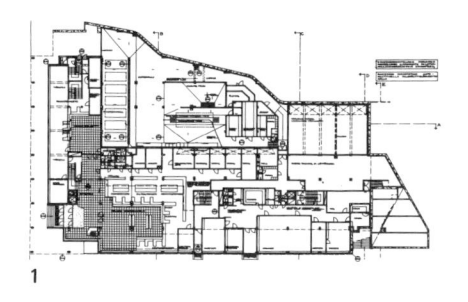

1 Térreo
2 Detalhe da parede em concreto
3 Detalhe da fachada

Edifício administrativo dos Serviços Elétricos Municipais "Sähkötalo", Helsinki
Projeto 1967-1970   Execução 1970-1973

A sede dos Serviços Elétricos da cidade de Helsinki mostra como um edifício já existente pode ser adaptado à nova arquitetura. O edifício antigo conserva sem mudança todas as suas funções, enquanto apenas uma parte está localizada no anexo novo. Os telhados planos se estendem sobre a parte antiga e sobre o anexo, conferindo unidade ao conjunto.

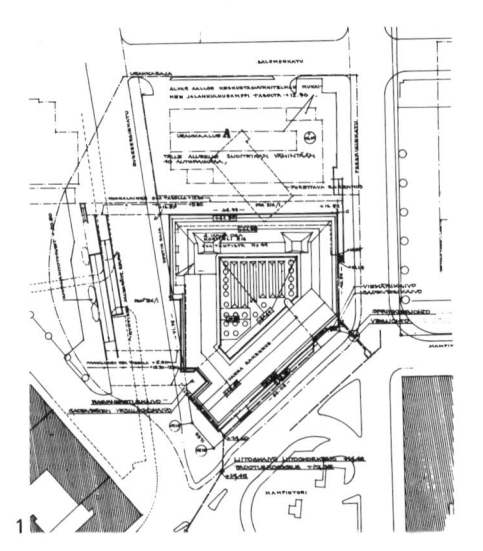

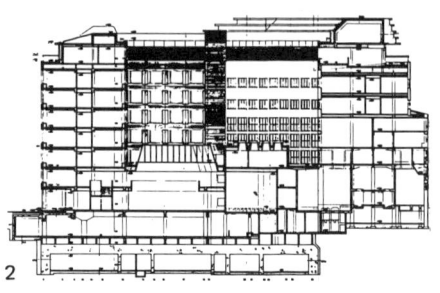

1 Planta de situação
2 Corte
3 Fachada da entrada

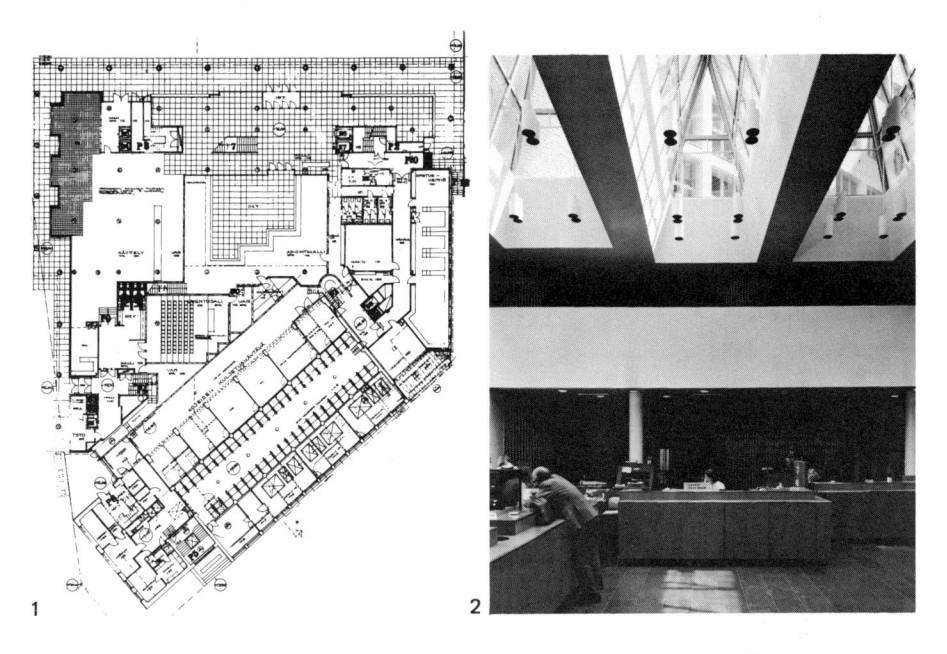

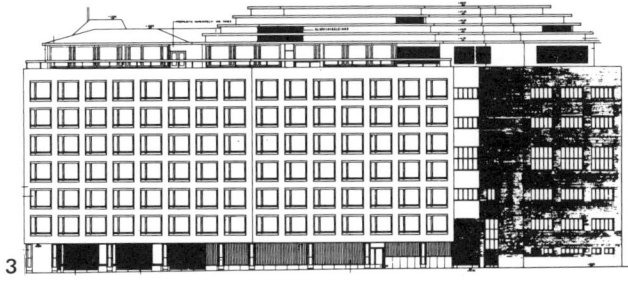

1 Térreo
2 Saguão dos guichês
3 Fachadas com a parte antiga e a nova
4 Vista

Estação central "Drottning Torget", Göteborg (Suécia)
Concurso 1956   1º prêmio

Em Göteborg, em virtude de sua posição, a estação é mais do que uma simples estação: é um centro onde se reúnem muitos sistemas do tráfego urbano, a maioria dos quais carece de relações entre si. O projeto tenta resolver as dificuldades do tráfego através de um sistema central. As superfícies destinadas ao tráfego formam o teto da estação, da grande garagem, etc.
As partes do edifício nas quais se trabalha são separadas da estrutura pesada para evitar vibrações.

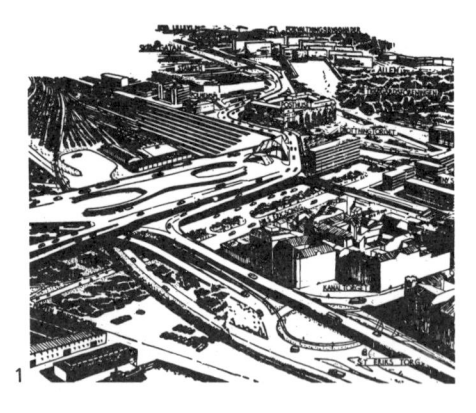

1 Vista da cidade
2 Planta de situação de todo o conjunto

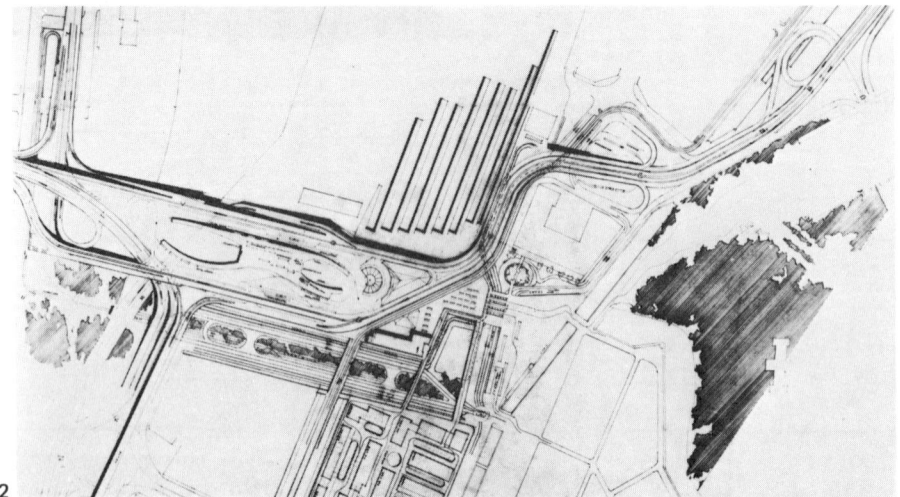

FÁBRICAS

Fábrica de celulose, Sunila
Projeto 1935-1937   Construção 1936-1939   Ampliação 1951-1954
O consórcio de celulose de Sunila, no sul da Finlândia, perto de Kotka, pertence em partes iguais a cinco sociedades industriais.
A ilha, com seus terraços rochosos, na qual a fábrica se situa, foi conservada como era, e a construção utiliza o desnível, partindo do alto e se escalonando até o nível do mar.

Maquete das casas e da fábrica

O centro das oficinas forma um terraço de onde os ateliês podem ser vigiados. Lá se encontram os escritórios, os laboratórios, etc., construídos numa área verde que forma um quadro agradável.
Os edifícios da fábrica, ligados entre si por alamedas, localizam-se no meio da floresta de pinheiros intacta. Os operários encontram-se, assim, num ambiente verde, onde cada corpo da construção se insere livremente no sítio, de acordo com os andares formados pelo terreno.

1 Planta de situação
2 À esquerda, os entrepostos; no meio, o silo dos produtos derivados
3 Vista parcial da fábrica

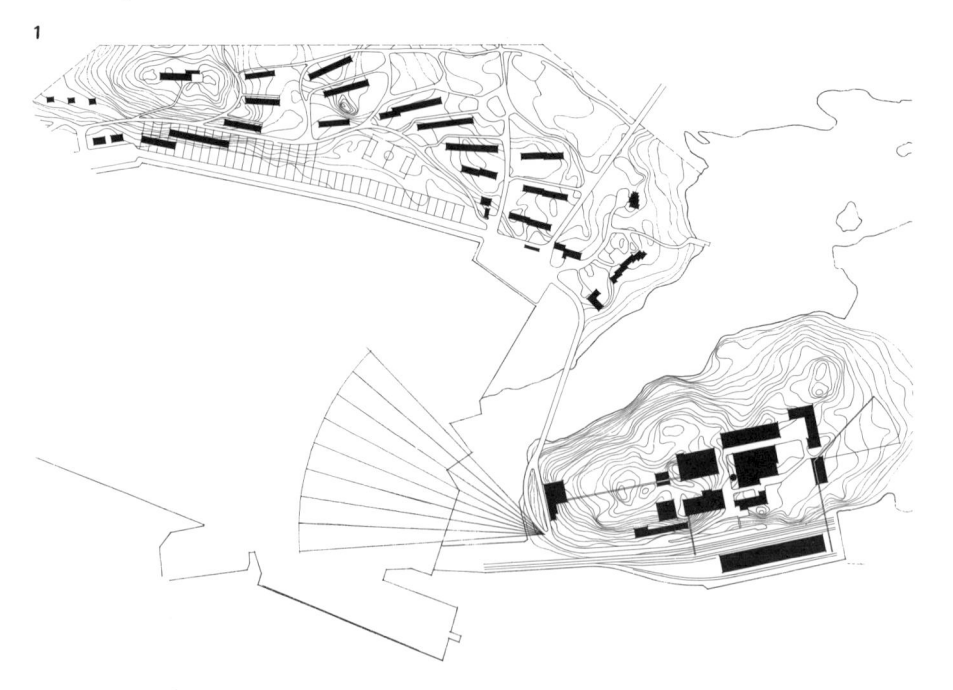

1

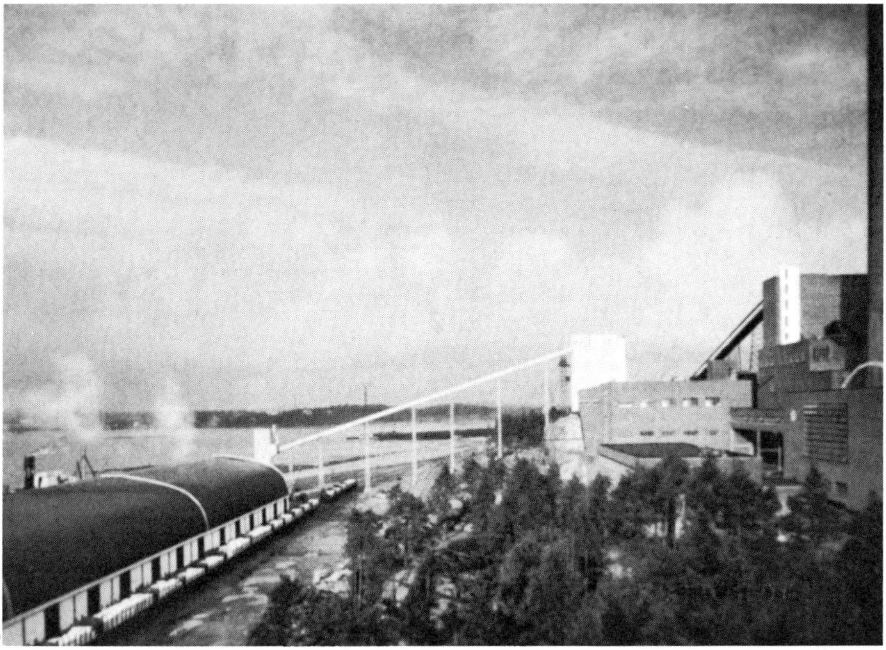
2

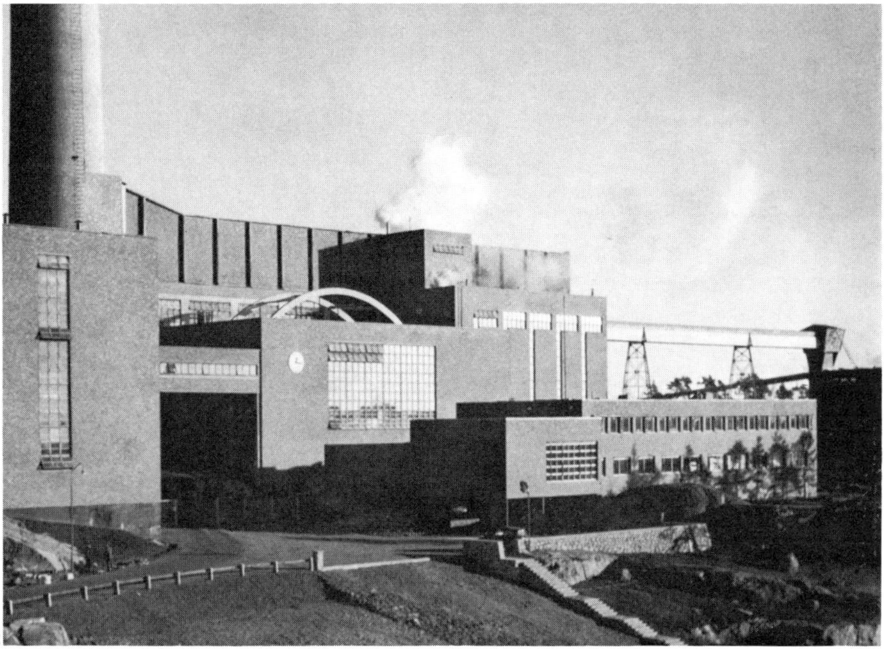
3

1 Vista do conjunto
2 Da esquerda para a direita: entreposto, silo e torre dos produtos derivados, instalações de baldeamento, administração
3 Os rochedos foram conservados o máximo possível
4 Uma parte das paredes em concreto aparente de um entreposto

173

Serraria, Varkaus
Projeto e construção 1945-1946

A serraria de Varkaus faz parte de um dos mais importantes grupos industriais da Finlândia. Foi construída sobre as ruínas de antigos estabelecimentos, cujos terraços em concreto eram sólidos o suficiente para servir de alicerce à nova serraria, concebida segundo os processos mais modernos.
Uma estrutura metálica leve forma o quadro da construção em madeira. Os elementos arquitetônicos se dobram naturalmente às exigências mecânicas da serraria.

1-3 O revestimento em lamelas de madeira realça as formas determinadas pela função

Central térmica da Escola Politécnica, Otaniemi
Projeto 1962   Construção 1962-1963

A central térmica abastece de calor os edifícios da Escola Politécnica de Otaniemi. Foi concebida de maneira a servir de laboratório de pesquisa para os engenheiros da área. As ampliações estão previstas no programa de construções.

A fim de assegurar uma grande liberdade nas disposições, a construção é feita sobre uma estrutura. As fachadas são em tijolo vermelho; os rebaixamentos, em concreto aparente; a parte metálica é em cobre. As grandes vidraças são metálicas, com elementos em série intercambiáveis.

1 Planta
2 Elevação longitudinal

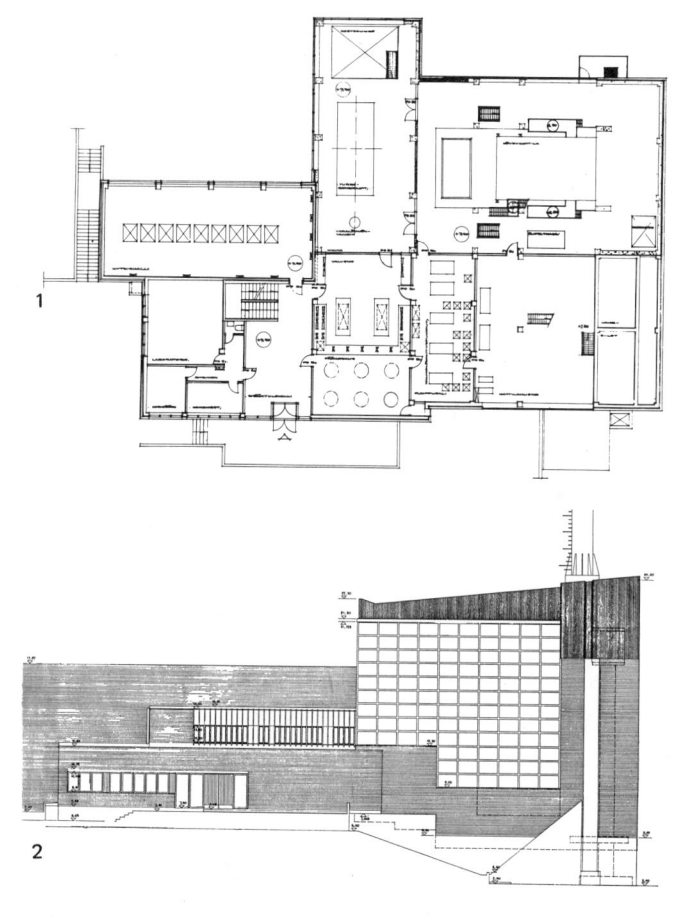

1/2 Fachada

SEDES DE PREFEITURA

Prefeitura de Säynätsalo
Concurso 1949   Construção 1950-1952

Säynätsalo é uma ilha com grandes diferenças de nível, que se encontra no lago interior de Päjänne. Os aproximadamente 3.000 habitantes vivem de uma única e modesta indústria.
O estudo da planificação data de 1945; a renovação do mercado central com a sede da prefeitura e os edifícios comerciais é um pouco posterior.
Além dos escritórios e da sala do conselho municipal, contém ainda a biblioteca, residências e, no térreo, algumas lojas, que são dispostas de

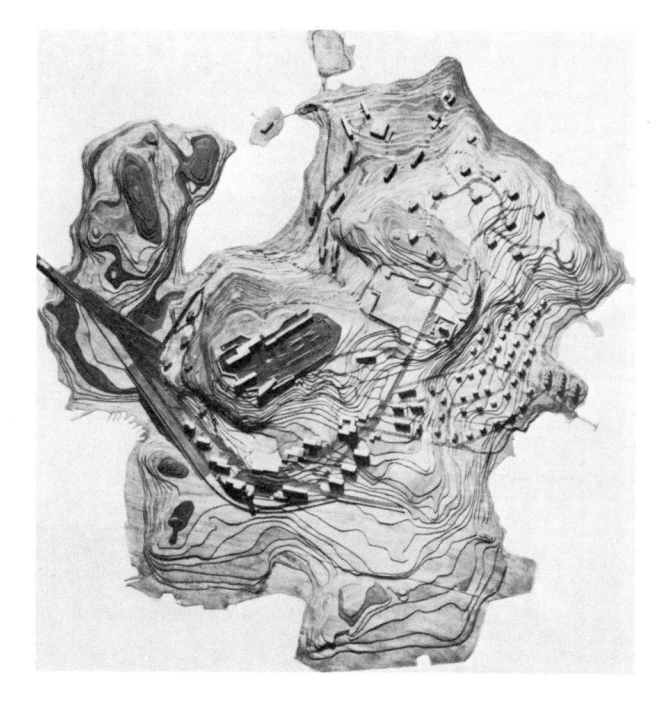

Maquete do conjunto

forma a poderem ser incorporadas à sede da prefeitura quando ela for aumentada.

A sala do conselho tem a forma de um cubo, pois sua altura corresponde mais ou menos aos lados. O madeiramento é aparente no interior, a armação do telhado e os caibros permanecem visíveis. No clima rude da Finlândia, a ventilação é facilitada graças a essa construção aparente, onde nenhum elemento fica escondido.

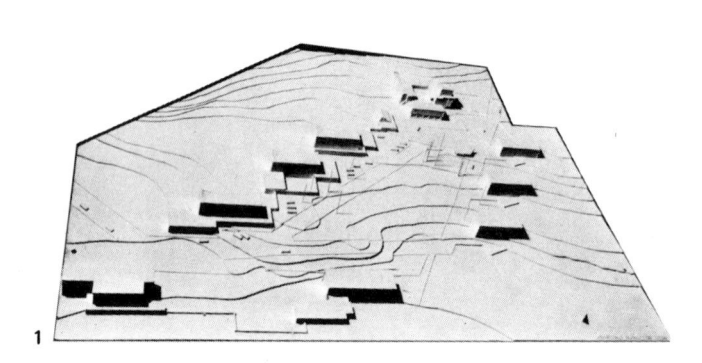

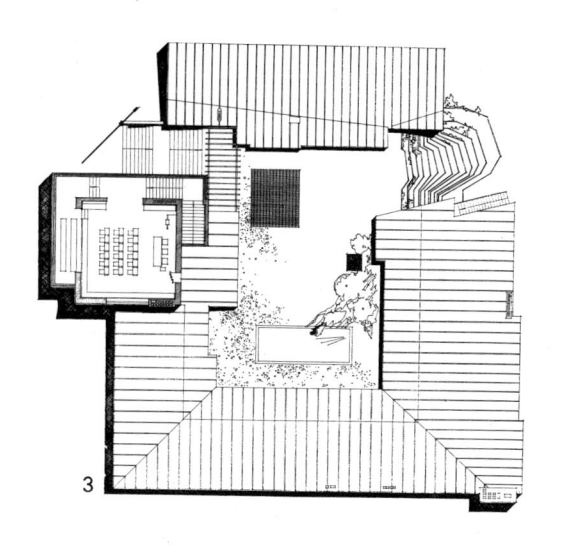

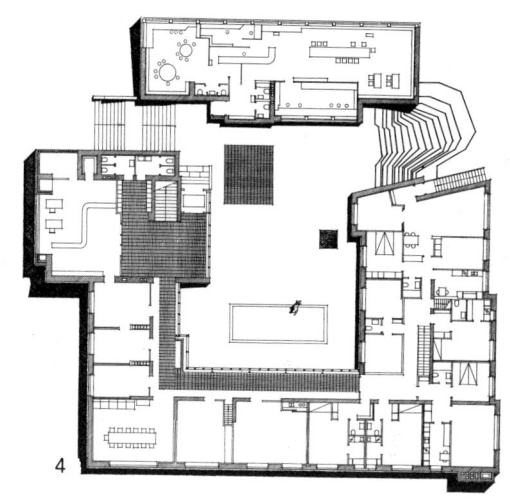

1 Maquete da localização
2 Fachada sudeste com escada
3 Planta do teto com a sala do conselho
4 Andar principal
5 Corte da biblioteca e dos escritórios da administração

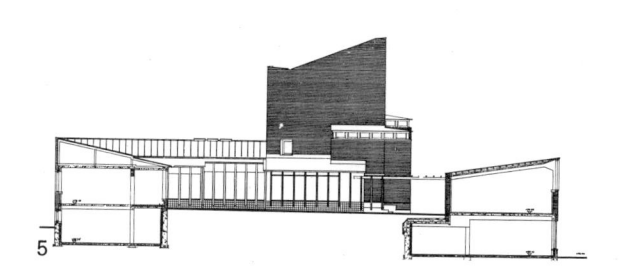

1 Vista do sul
2 Corredor com os escritórios
3 Entrada principal

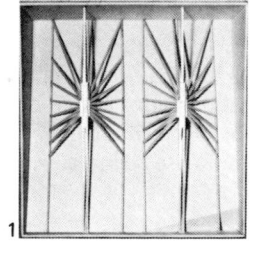

1 Detalhe da construção do teto
2 Madeiramento aparente na sala do conselho
3 Escada conduzindo ao lado oeste e ao parque, em direção ao pátio interno

Prefeitura e administração municipal de Marl (Alemanha)
Concurso 1957

Na prefeitura de Marl, o programa representativo trouxe a solução de uma organização particular, no sentido de que os edifícios são agrupados longe do tráfego, ao redor de uma praça que se abre para o parque. O vestíbulo foi arrumado como num metrô, onde se escolhe a estação e então se segue o corredor que leva ao destino.

1 Fachada das salas da prefeitura
2 Planta de situação
3/4 Primeiros esboços do conjunto

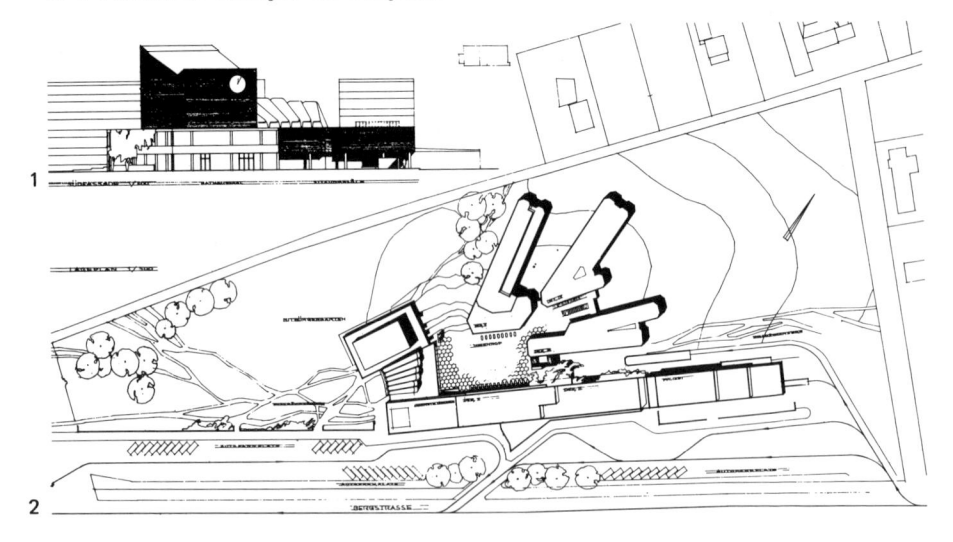

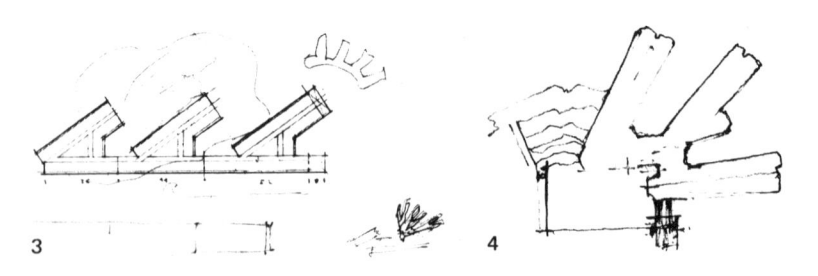

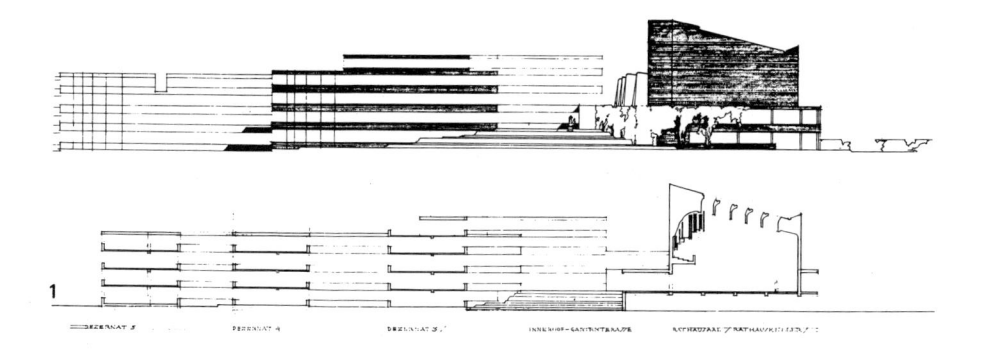

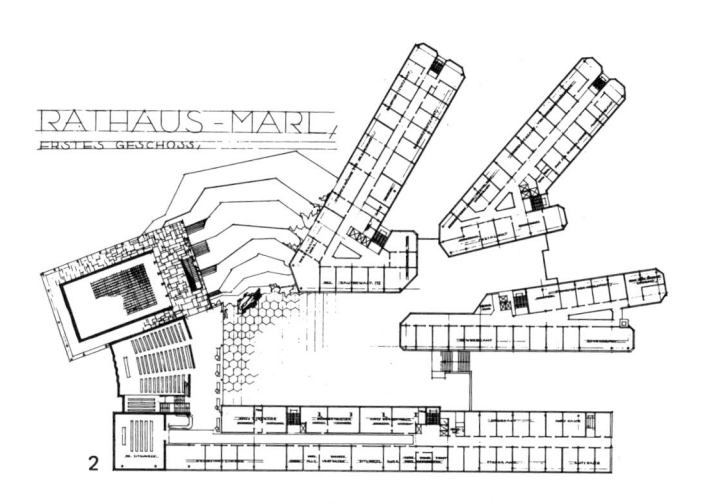

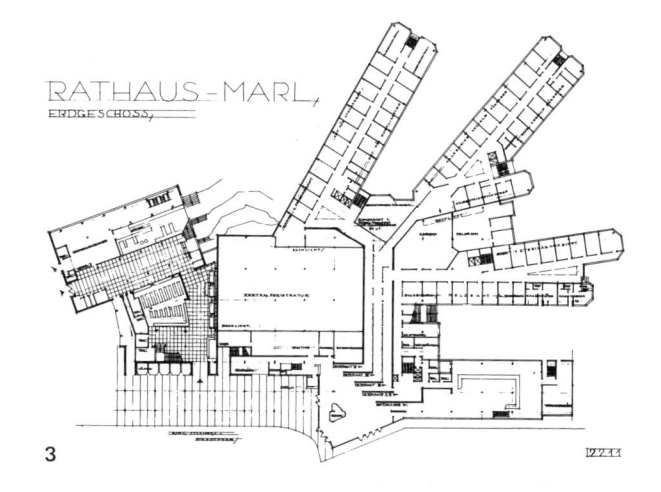

1 Fachada do parque e corte
2 Primeiro andar e a praça
3 Térreo com o sistema dos itinerários

Prefeitura de Kiruna (Suécia)
Concurso 1958 1º prêmio Não realizado

Kiruna é a grande "mina de ouro" da Suécia, de onde se extrai um mineral muito precioso.
O projeto da sede dessa prefeitura tentou se integrar a essa paisagem única.
A prefeitura e a câmara municipal constituem o centro dessa região característica, cujo aspecto é determinado pelos imensos depósitos de resíduos minerais.
Em virtude dos enormes acúmulos de neve, o edifício foi construído de maneira a que as massas desabem na face norte, quase totalmente desprovida de vãos.

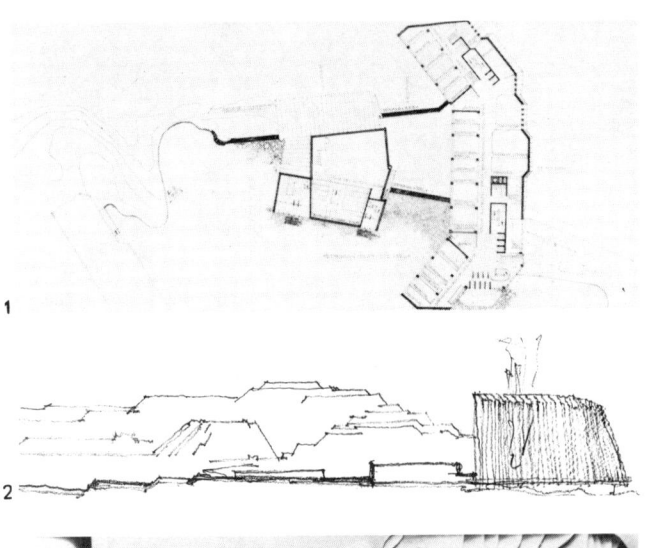

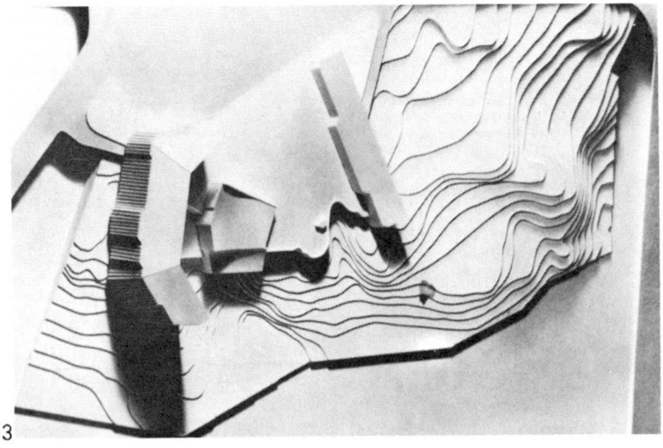

1 Planta da entrada
2 Croquis da fachada
3 Maquete
4 Esboço da planta de situação

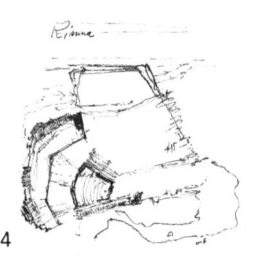

Prefeitura de Seinäjoki
Projeto 1961-1962 Construção 1963-1965
A prefeitura forma com a igreja, construída anteriormente, e com a biblioteca, uma parte do centro previsto para a cidade de Seinäjoki. O teto oblíquo com seus lanternins domina o edifício e caracteriza sua linha. Uma seqüência de terraços com plantas e um chafariz ligam a praça aos edifícios. A entrada principal se encontra sob a sala do conselho, mas a esta também se tem acesso pelos terraços.

1 Vista externa da sede da prefeitura
2 Centro administrativo com a sala da prefeitura

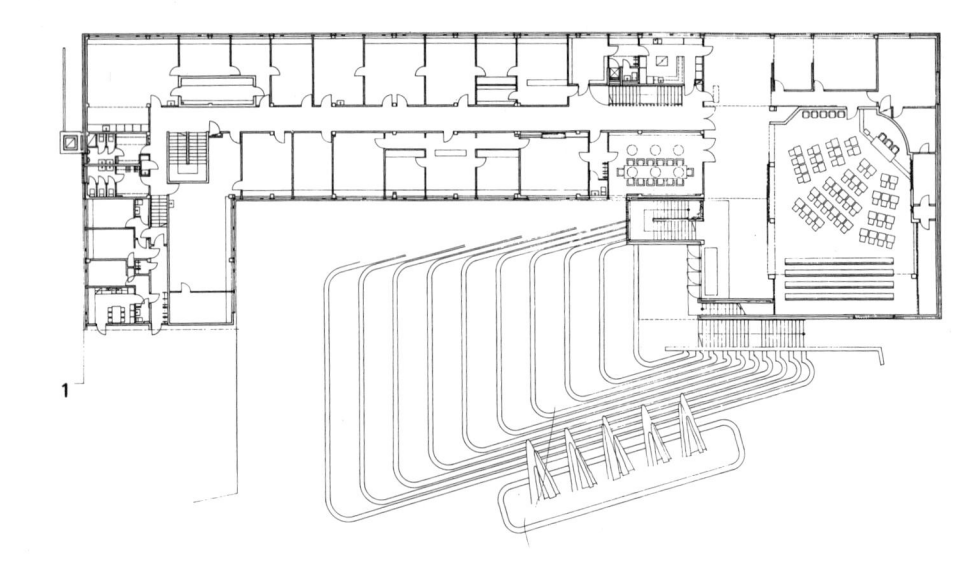

1 Planta do primeiro andar
2 Fachada
3 Vista interior da sala do conselho

Prefeitura de Alajärvi
Projeto 1966   Construção 1967-1969

Alajärvi é uma pequena localidade de cerca de cinco mil habitantes a oeste da Finlândia central.
Um centro comunitário está sendo construído nas cercanias da célebre igreja do início do século XIX a partir de uma planta de cruz grega.
A sede da prefeitura e o dispensário formam a primeira etapa desse conjunto.
A área interna é reservada aos pedestres. As novas construções serão adaptadas ao caráter camponês da localidade.

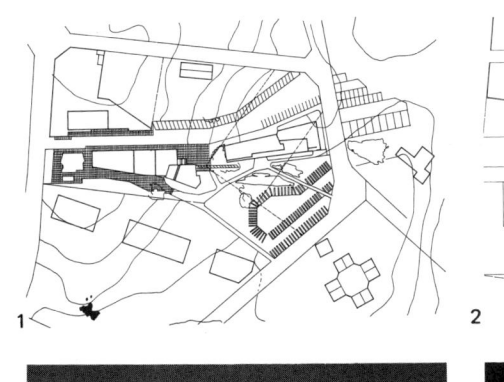

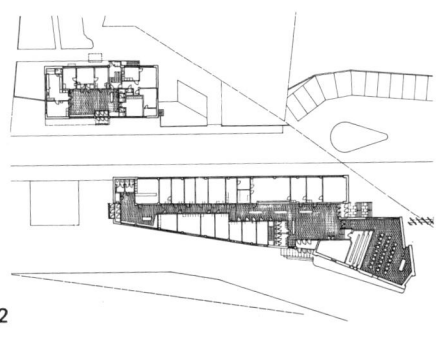

1 Planta de situação
2 Planta
3 Prefeitura
4 Interior da sala do conselho
5 Fachada

CENTROS ESPIRITUAIS

Capela do cemitério de Malm, Helsinki
Concurso 1950   1º prêmio   Não realizado

O arquiteto cria o quadro que deve convir a todas as ocasiões da vida, sejam elas alegres ou tristes.

A capela onde se vela é o lugar onde as pessoas se despedem para sempre de um ente querido. Essa cerimônia fúnebre deve evoluir num ambiente digno e austero, onde os sentimentos da assistência não sejam feridos pelos efeitos de uma pompa vã ou por uma banalidade mortificante.

De uma maneira geral, o quadro é apropriado à austeridade das cerimônias fúnebres.

Freqüentemente, as cerimônias que se multiplicam provocam uma espécie de rotina desagradável; por isso tentou-se evitá-la em Malm. Cada capela dispõe de um espaço para que as homenagens aconteçam dignamente sem dar a impressão de uma cerimônia muito convencional e organizada.

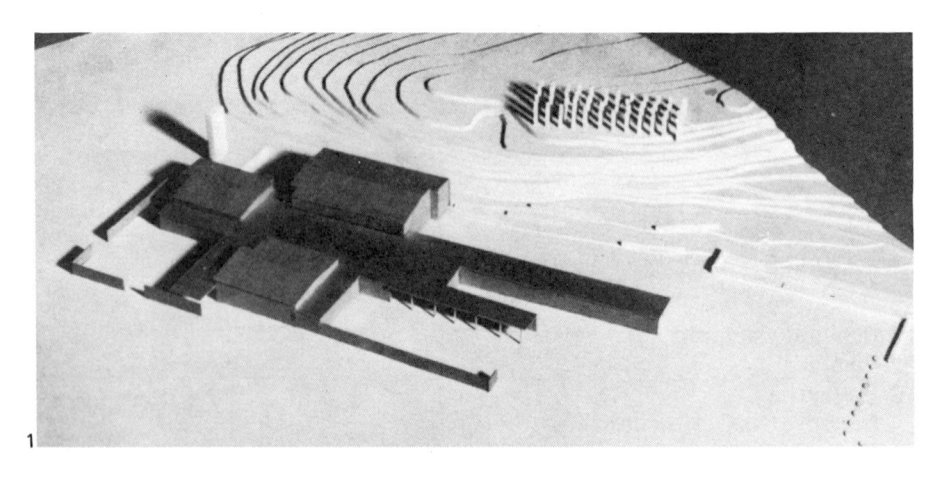

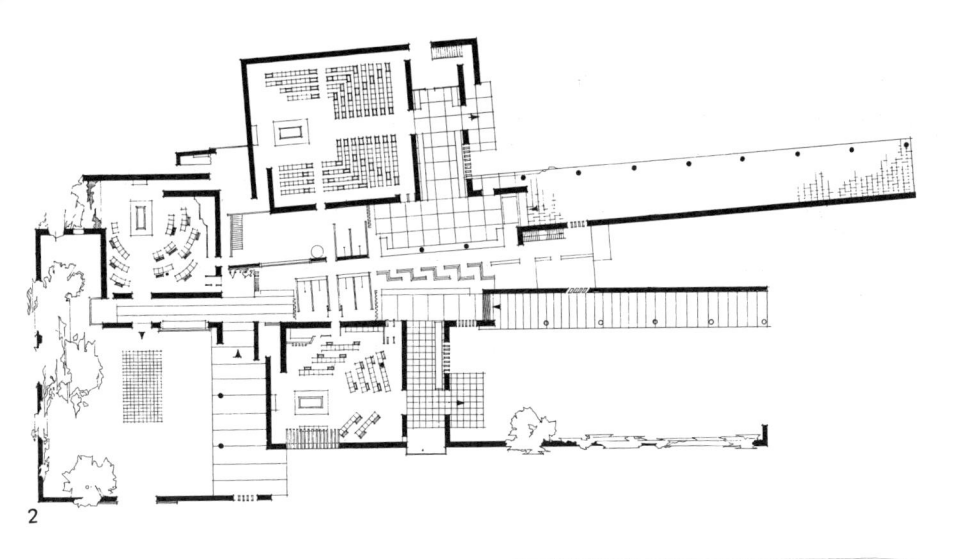

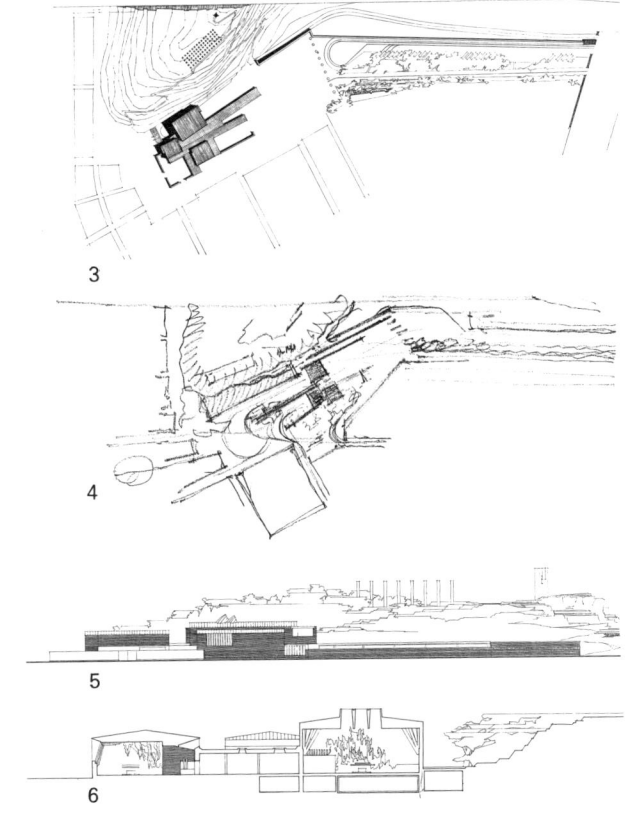

1 Maquete
2 Planta
3 Localização
4 Um dos primeiros esboços
5 Fachada longitudinal
6 Corte

Cemitério, Lyngby (Dinamarca)
Concurso 1952   Não realizado

O programa do concurso propunha o estudo de um cemitério e de uma capela onde deveriam se realizar pelo menos quinze serviços fúnebres por dia. Sendo tal acúmulo de cerimônias estranho, o projeto previa várias capelas em vez de apenas uma. Desse modo, as cerimônias poderiam acontecer separadamente, sem que os cortejos se misturassem.

O cemitério situa-se numa espécie de cratera para onde conduzem todos os caminhos que vão aos túmulos.

A atmosfera convida, assim, ao recolhimento, respeitando os sentimentos dos aflitos que vêm prestar homenagem a seus mortos.

1 Planta de situação
2 Croquis

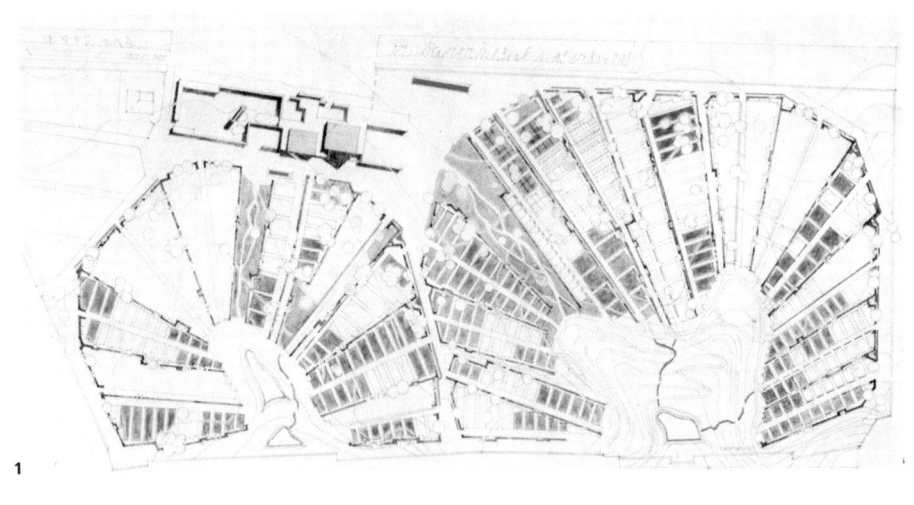

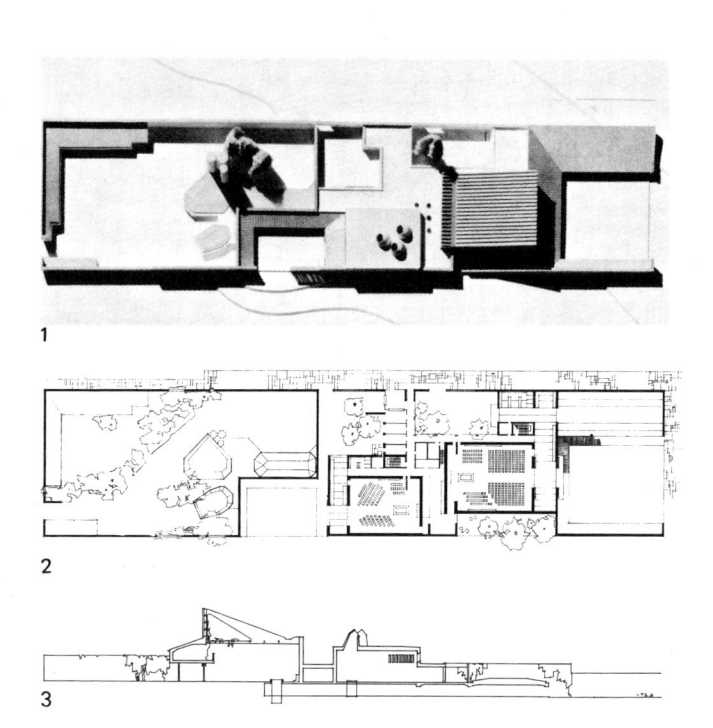

1 Maquete
2 Planta geral
3 Corte longitudinal
4 Vista da maquete

191

Igreja, Lahti
Concurso 1950   Projeto 1970

A igreja de Lahti foi concebida para ser a igreja principal da cidade. Encontra-se numa elevação triangular entre duas avenidas do centro da cidade, de onde ela dominará. O concurso foi aberto em 1950, mas o projeto não foi realizado. O projeto de 1970 apresenta uma concepção completamente nova.
O campanário, formado por uma série de pilares, ergue-se acima do volume da nave. O pórtico pode ser utilizado para diversas manifestações.

1 Planta de situação
2 Maquete
3 Entrada
4 Planta do térreo

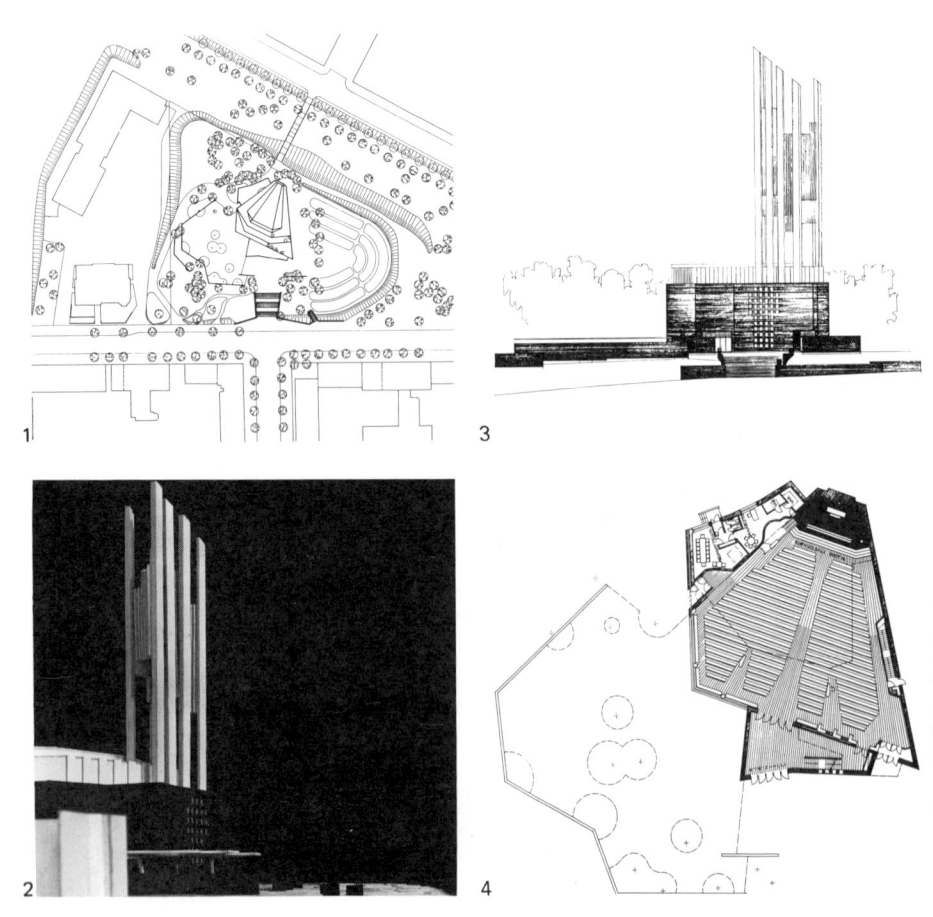

Igreja e centro paroquial, Seinäjoki
Igreja: Concurso 1952   Construção 1958-1960
Centro paroquial: Projeto 1963   Construção 1964-1966

A igreja é a catedral da Finlândia central e setentrional. O campanário, símbolo de Seinäjoki, é também um belvedere com vista para o mar e para os arrabaldes, com seus territórios agrícolas e suas florestas. O centro paroquial está agrupado em torno de um espaço quadrado que se eleva em vários terraços acima da igreja. Esse espaço dá lugar a sermões ao ar livre e grandes festividades. Em parte, o teto do centro paroquial forma igualmente um terraço.

1 Planta
2 O campanário, símbolo de Seinäjoki

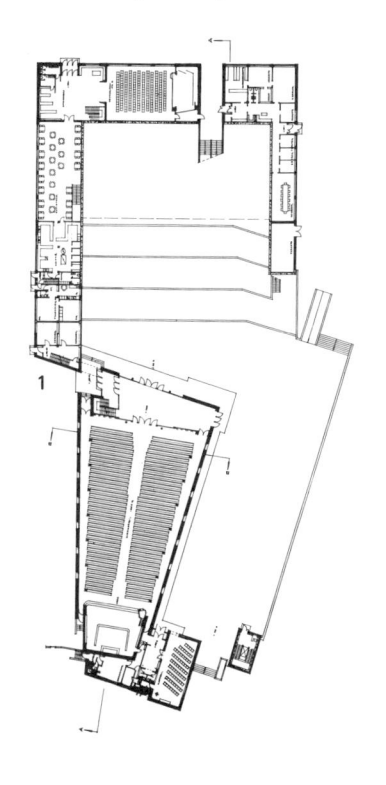

1 Vista interna
2 Órgão
3 Capela com vitrais
4 Entrada
5 Vista lateral da igreja com o campanário
6 A igreja e o presbitério vistos da praça da prefeitura

Igreja de Vuoksenniska, Imatra
Projeto 1956 Construção 1957-1959

A igreja de Vuoksenniska é uma das três igrejas do município de Imatra. O município é fortemente industrializado, o que determinou a linha dessa igreja. O campanário a princípio colocou um problema muito especial, pois a região é dominada por numerosas chaminés. Portanto, a forma do campanário deveria ser mais realçada do que as suas dimensões.

A igreja, além de sua destinação propriamente dita, deve preencher outras funções, como acontece numa região industrial, funções que se exprimem nos volumes exteriores.

O espaço que contém o altar, o púlpito e o órgão foi previsto para 290 pessoas e propicia uma atmosfera de recolhimento. Ali acontecem os casamentos, os enterros e outras cerimônias. Esta capela pode ser aumentada pela supressão das paredes que a separam dos dois cômodos que habitualmente são destinados às reuniões e às assembléias. Dessa forma, a sala pode abrigar 800 pessoas. Na ala oeste, há outros locais aos quais se tem acesso por entradas distintas.

A liturgia luterana conduziu à disposição assimétrica do interior. A parede junto à qual se situa o púlpito é reta; a parede longitudinal, em frente, é concebida a partir de três curvas, que obedecem a considerações de ordem acústica.

Essa concepção assimétrica também se encontra nas elevações. As janelas da parede longitudinal arqueada estão dispostas obliquamente e se acomodam às linhas do teto, cujo papel consiste também em enviar o som para a assembléia dos fiéis. Na verdade, as condições da acústica foram estudadas nas maquetes.

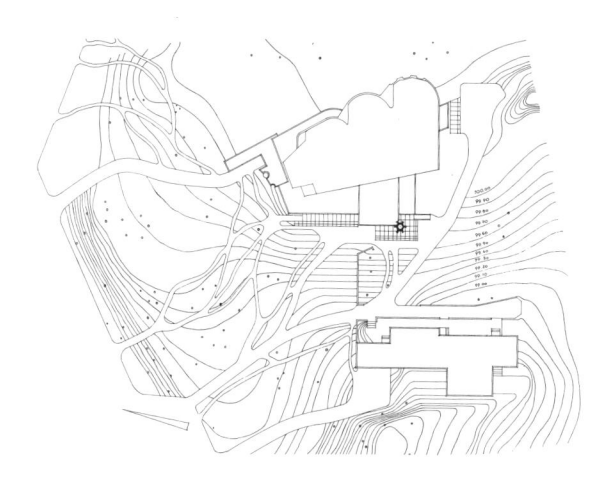

Planta de situação

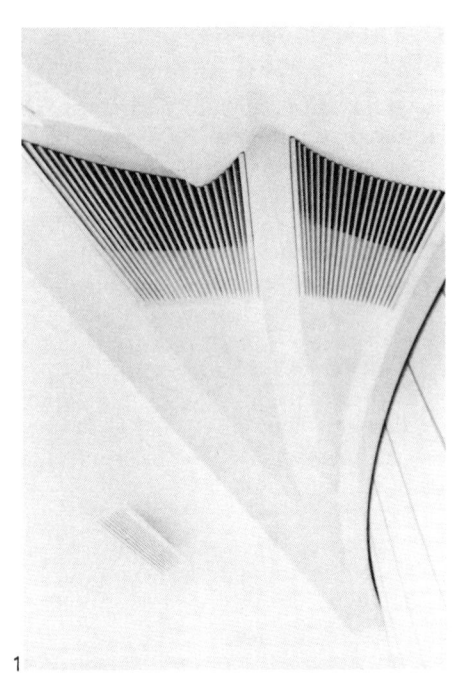

1 Ventilação e calefação pelo teto
2 As janelas dispostas obliquamente por motivos de acústica nos compartimentos da igreja
3 O órgão
4 Corte longitudinal com vista do órgão
5 Planta da galeria do órgão com a construção do teto em pontilhado
6 Planta do térreo

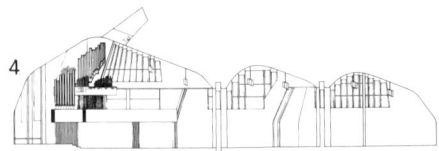

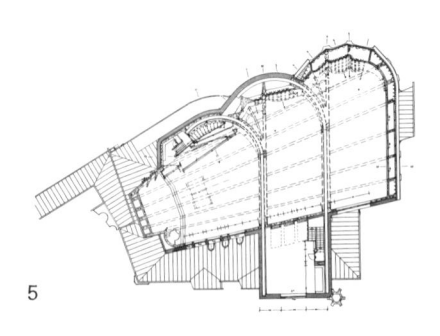

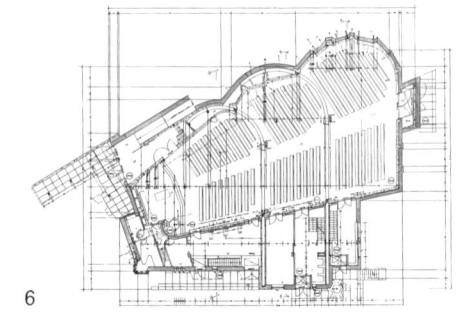

1 O exterior com os três compartimentos
2 Vista para o altar, o púlpito e o órgão
3 Parte do esboço do anteprojeto
4 Vista do conjunto. No primeiro plano, à direita, uma parte da paróquia; atrás, à esquerda, a saída e o teto avançado para as cerimônias fúnebres. As paredes são pintadas de branco. O teto em cobre

Centro paroquial, Wolfsburg (Alemanha)
Projeto 1959   Construção 1960-1962

O centro paroquial situa-se no meio das residências, junto a uma área verde, no ponto mais elevado de uma grande avenida. Divide-se em três partes. A igreja e o edifício que contêm as salas estão agrupados em torno de uma praça que se abre para a avenida, marcada por uma torre vazada. Uma passagem estreita leva à área verde.

1 Planta de situação
2/3 Vistas

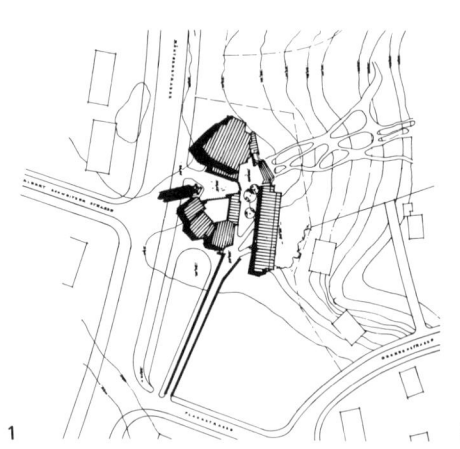

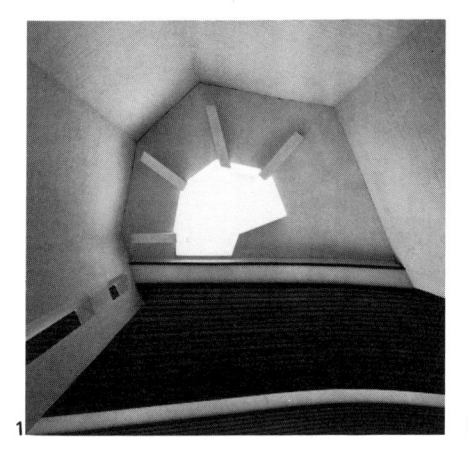

1 Iluminação zenital
2 Vista do altar para a nave
3 Corte longitudinal
4 Janelas vistas do interior
5 Janelas vistas do exterior

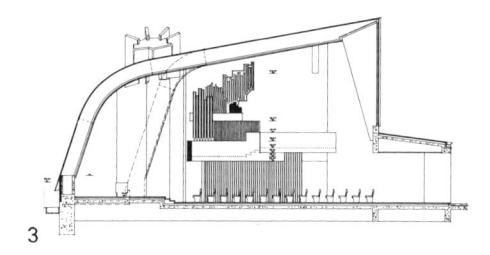

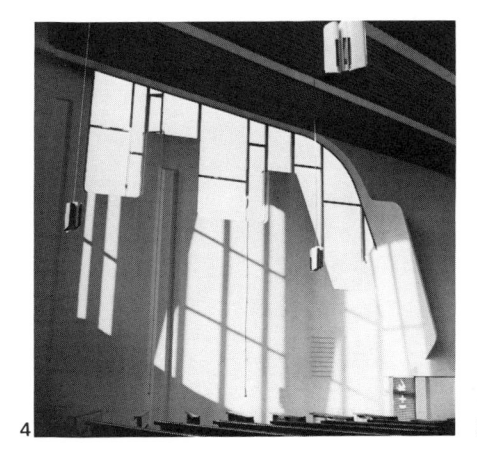

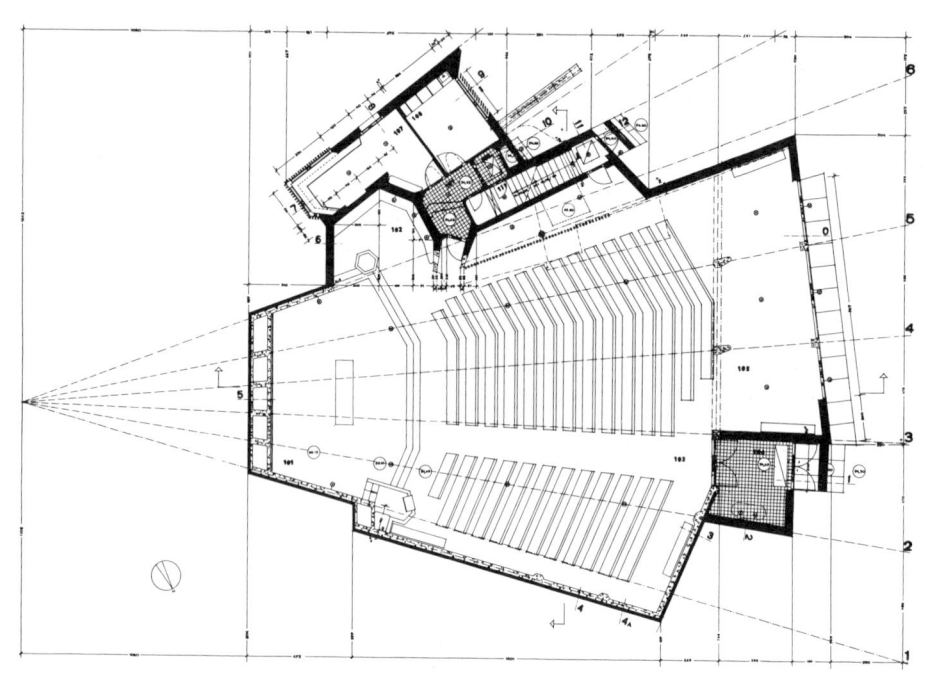

Planta e vista da entrada secundária para o altar e o púlpito

Igreja, Detmerode (Alemanha)
Projeto 1963   Construção 1965-1968

A igreja oferece normalmente 250 lugares, mas o espaço vazio, habitual nas igrejas alemãs, pode ser preenchido com mais cadeiras, o que perfaz mais ou menos 600 assentos.
O teto é formado por conchas em madeira de 250 cm de diâmetro formando um quebra-som. Sob o coro, há uma cripta.

1 Planta de situação
2 Desenho do teto com as conchas em madeira
3 Maquete com as conchas do teto

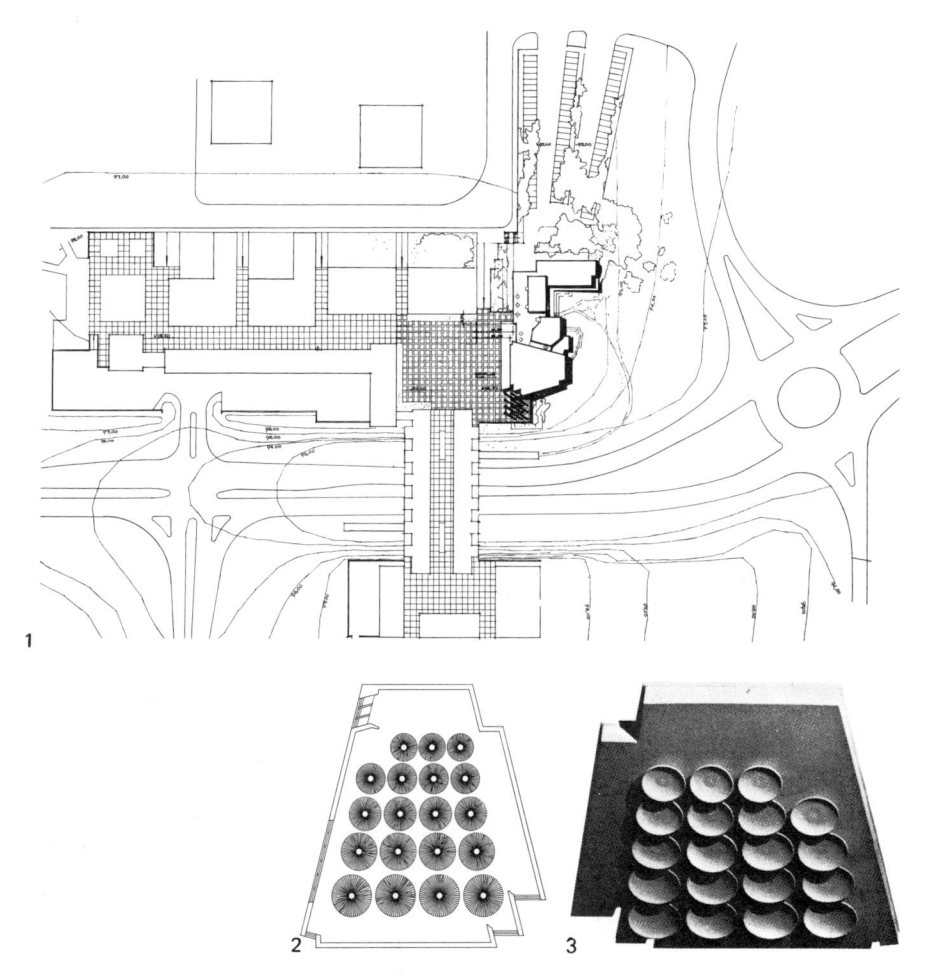

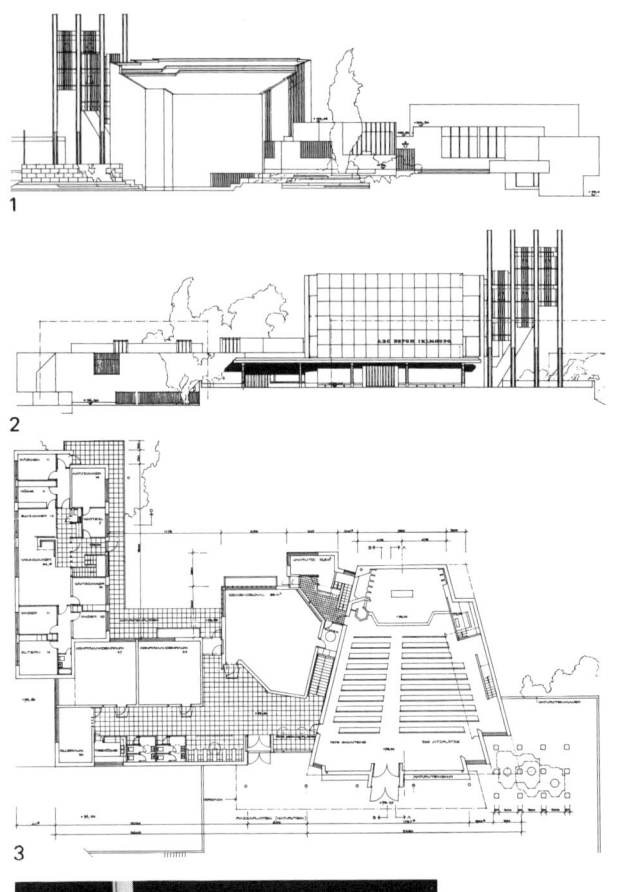

1 Fachada posterior
2 Pórtico
3 Planta do térreo
4 Campanário
5 Corte

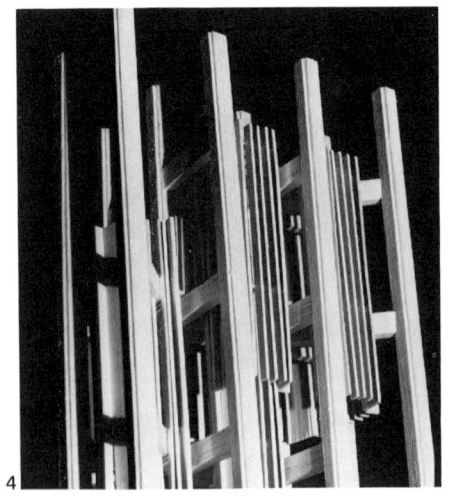

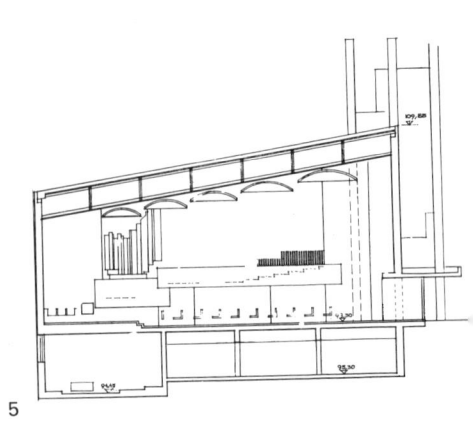

Centro paroquial Riola, Bolonha (Itália)
Projeto 1966   Em vias de realização

O centro paroquial encontra-se numa antiga via que leva a Bolonha. É limitado de um lado pelo Reno e de outro pela velha ponte romana.

A igreja deveria ser a primeira a manifestar, através de uma arquitetura funcional apropriada, as novas tendências da liturgia. Tratava-se de criar uma relação estreita entre o altar, o coro, os órgãos e o batistério.

A nave é assimétrica, assim como o telhado e as abóbadas, deixando passar a luz do dia, cuja intensidade é mais forte na área do altar. Não há galerias, mas o coro tem três degraus de elevação. A igreja pode ser aberta por uma porta dobrável que dá para o átrio, formando assim uma extensão do lugar do culto.

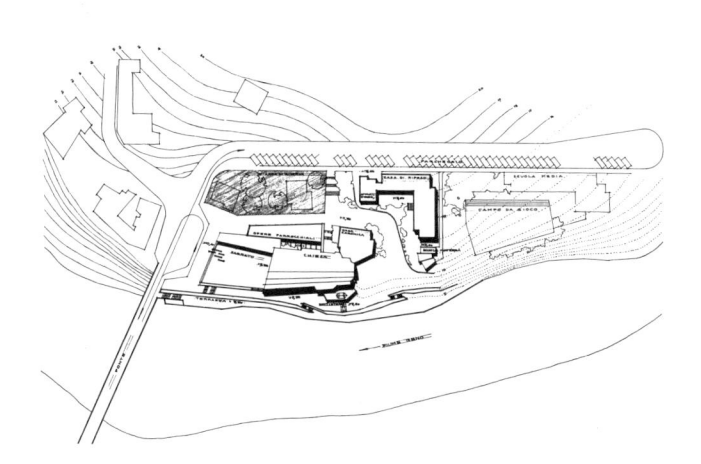

Planta de situação

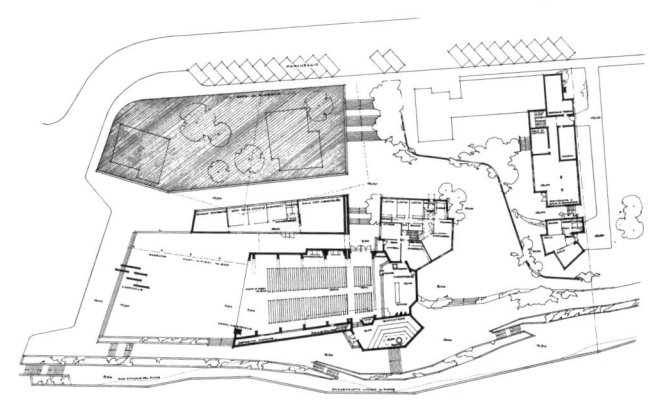

Planta geral

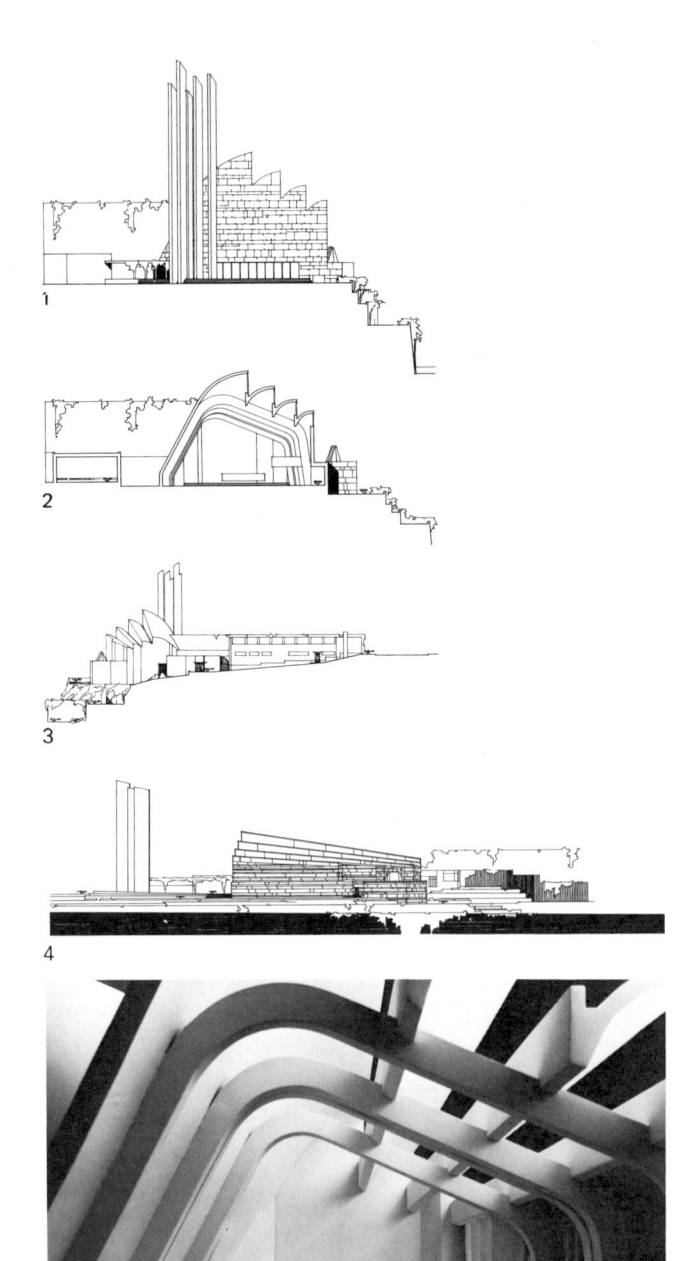

1 Fachada
2 Corte transversal
3 Fachada lateral
4 Fachada lateral e o dique
5 Maquete da nave

Igreja do centro paroquial, Riola, perto de Bolonha (Itália)
Projeto 1966-1968   Em construção

A igreja localiza-se diante do centro da aldeia junto ao Reno. Chega-se a ela por uma ponte. Em 1966, a intenção era vincular a igreja à nova liturgia. A igreja, com a sacristia e a primeira parte da casa paroquial, foram inauguradas em junho de 1978.

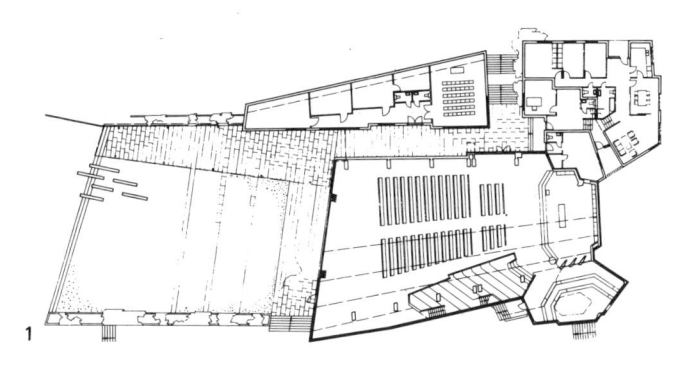

1 Planta
2 Detalhe
   da fachada
3 Fachada
   da entrada

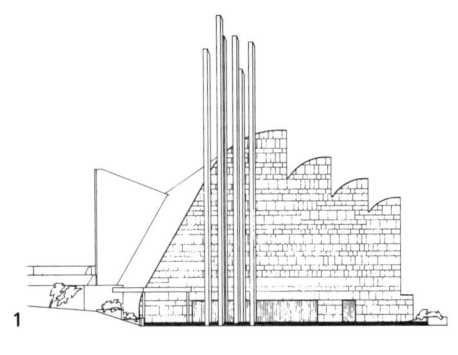

1 Fachada da entrada
2 Batistério
3 Nave
4 Detalhe da fachada
5 Tribuna do coro

VILLAS

Casa do arquiteto, Helsinki
Projeto 1934   Construção 1935-1936
Concebida originalmente como casa particular com um ateliê, serve agora, após a construção de um novo ateliê, unicamente de residência particular. Materiais: estrutura em tubos de aço preenchidos de concreto; paredes das fachadas em tijolo, pintadas de branco; as paredes da casa são em madeira. O terraço do andar superior forma o jardim entre a casa e o escritório.

Fachada do jardim

1 Entrada
2 Terraço
3 Térreo
4 Andar superior

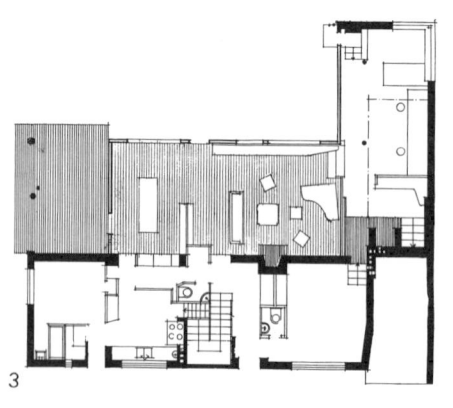

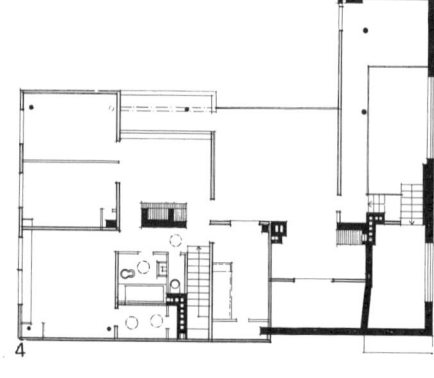

208

Villa **Mairea**
Projeto 1937-1938   Construção 1938-1939

A *villa* Mairea foi construída para um casal de amigos, Maire e Harry Gullichsen. Localiza-se numa floresta de pinheiros, numa elevação de uma das colinas da Finlândia ocidental.
A calma reina nesse ambiente de um verde uniforme. Através das árvores, um desvio no rio aciona uma serraria, vestígio da indústria primitiva desse país nórdico.
A planta em ferradura abre-se para a floresta, que forma o plano de fundo.
A sauna com a piscina fica do lado oposto ao grande cômodo do térreo.
Os parapeitos dos balcões e algumas partes das fachadas são revestidos de madeira teca; a ala da sauna é em pinho.

Planta de situação

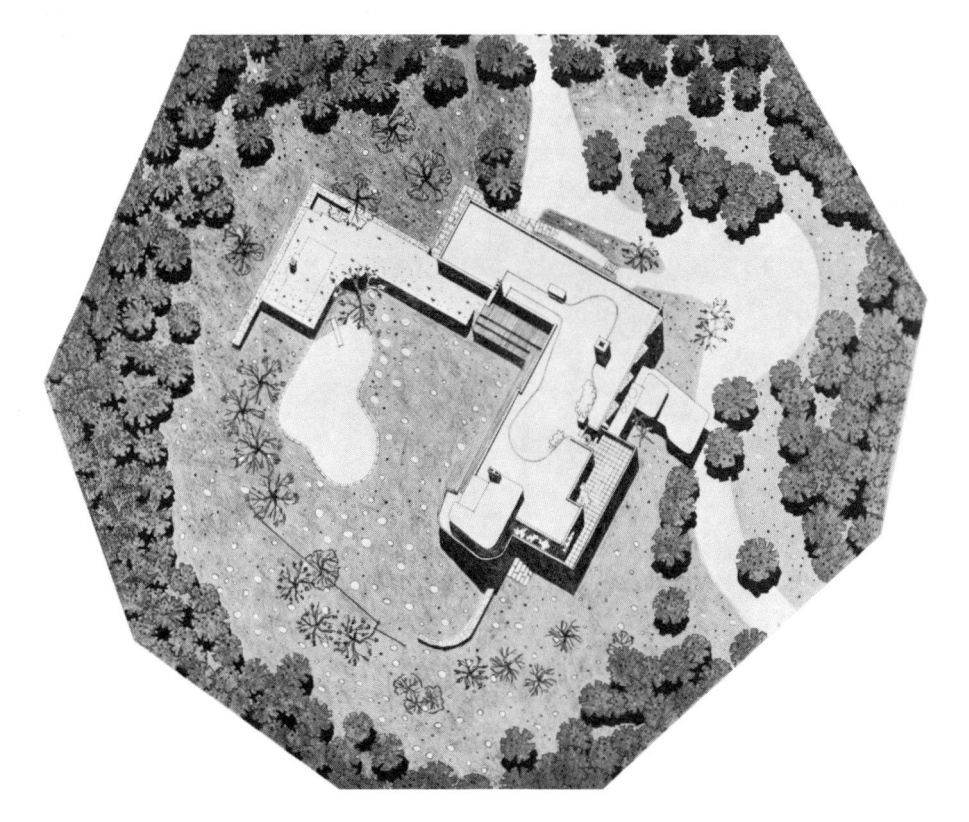

1 Planta da casa
2 Vista geral do sudoeste

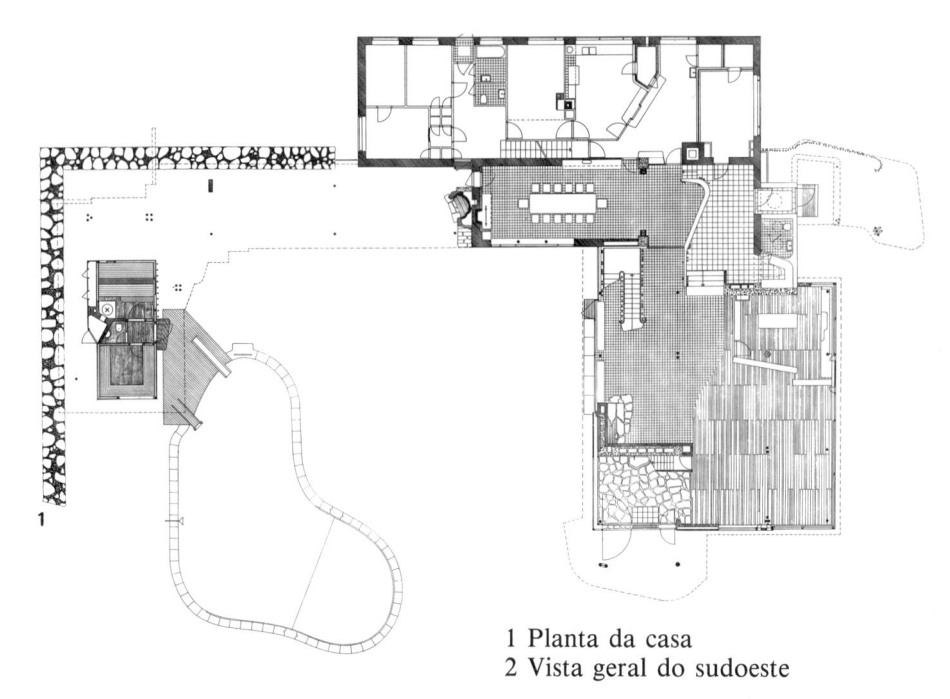

1 Vista do sul
2 Entrada principal

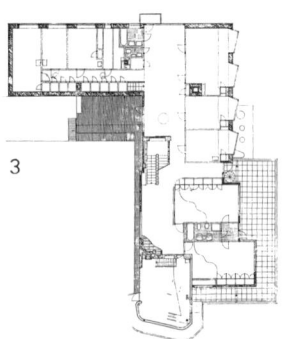

1 Detalhe da fachada
2 Vista da entrada para o hall
3 Primeiro andar
4 Canto da casa

1 Lareira no hall
2 Vista do hall para a sauna
3 Piscina e sauna

1 Piscina e sauna
2 Construção da parede na sauna

Casa de veraneio, Muuratsalo

A casa de veraneio de Muuratsalo (1953) não é somente uma residência e um local de trabalho, é também uma espécie de casa-piloto. Situa-se na região dos lagos na Finlândia do meio-norte. Tem duas alas perpendiculares, uma das quais agrupa os cômodos de estar, e a outra os quartos de dormir. Essas alas e os outros dois lados, fechados por paredes bastante altas, formam um pátio quadrado.

Essas paredes estão divididas em cerca de cinqüenta painéis, nos quais se inserem tijolos e placas de cerâmica de todos os tipos e tamanhos, combinados de maneiras variadas, para que se possam estudar os efeitos e as propriedades desses materiais.

Vista do ancoradouro

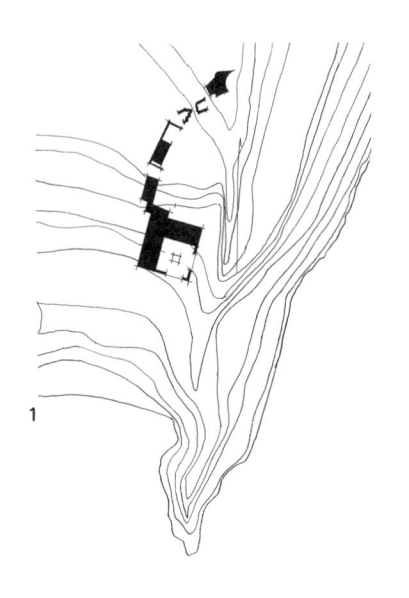

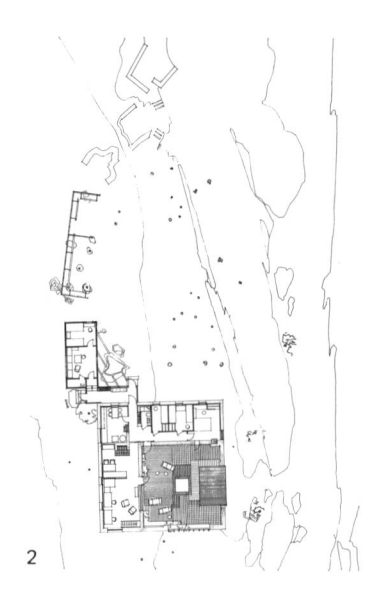

1 Planta de situação
2 Planta
3 Pátio

1/2 Detalhes da fachada do pátio interno

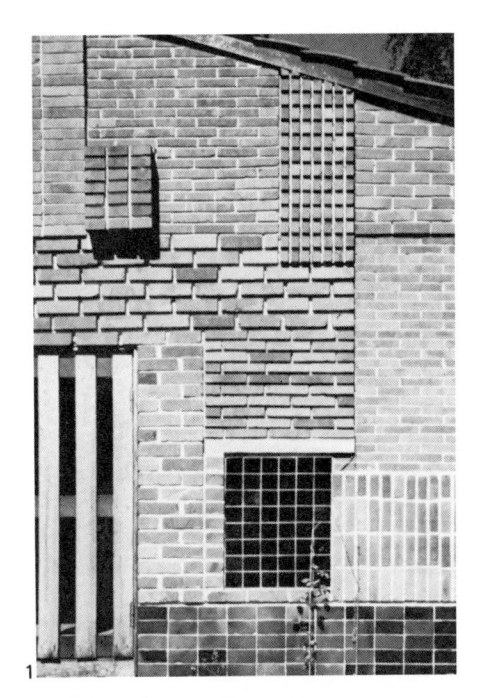

Barco a motor para Muuratsalo
Projeto e construção 1954-1955

O barco a motor era indispensável para se chegar à casa de veraneio de Muuratsalo. Era a oportunidade de se criar um barco experimental.
Seguindo as instruções dos engenheiros navais, a curvatura foi estudada para corresponder a um melhor refluxo da água de acordo com a aceleração; ao mesmo tempo, ele foi previsto para uma abordagem fácil nas águas baixas do lago. O barco deveria servir não apenas como transporte, mas também como local de repouso agradável.

1 Corte longitudinal
2 Vista do barco

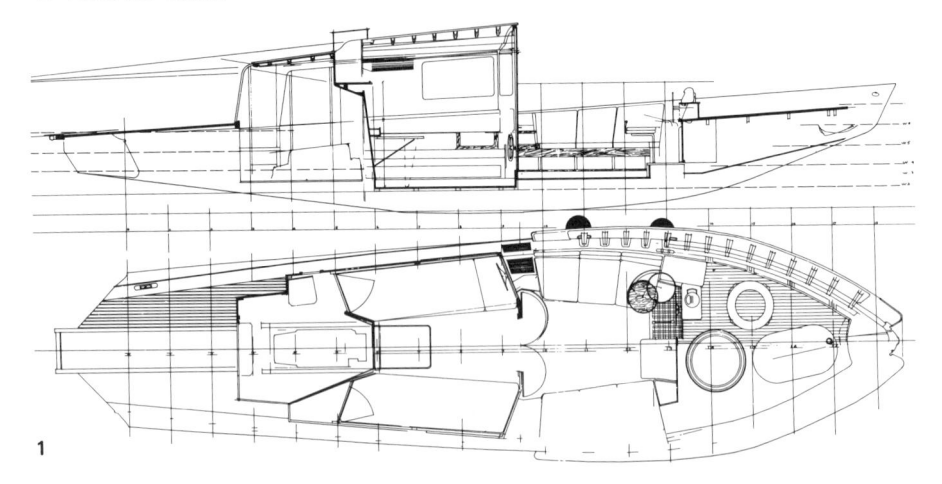

Casa Louis Carré, Bazoches-sur-Guyonne (França)
Construção 1956-1959

Essa casa foi construída para o famoso *marchand* de quadros Louis Carré. Tratava-se de combinar casa e galeria de arte, sem que reinasse na morada um clima de exposição.
A arquitetura se integra perfeitamente à paisagem, dominada por uma colina coberta de bosques. O proprietário fez questão de confiar ao arquiteto todos os detalhes do mobiliário, da iluminação, dos tecidos, etc.
O jardim foi igualmente concebido pelo arquiteto.
Os cômodos são alternadamente iluminados na fachada e por clarabóias; conseqüentemente, suas alturas variam.
Cada cômodo dá para um pátio particular. O acesso aos banheiros é feito por terraços cobertos e escondidos, onde se pode estar à vontade.
A casa localiza-se no alto da colina e, da estrada de acesso que serpenteia pelo outeiro, tem-se uma ampla vista da paisagem e da floresta de carvalhos.

1 Croquis da fachada do *living-room*
2 Planta de situação
3 Planta principal: à direita, *living-room*; no centro, entrada; à esquerda, sala de jantar e despensa; no alto, quartos de dormir

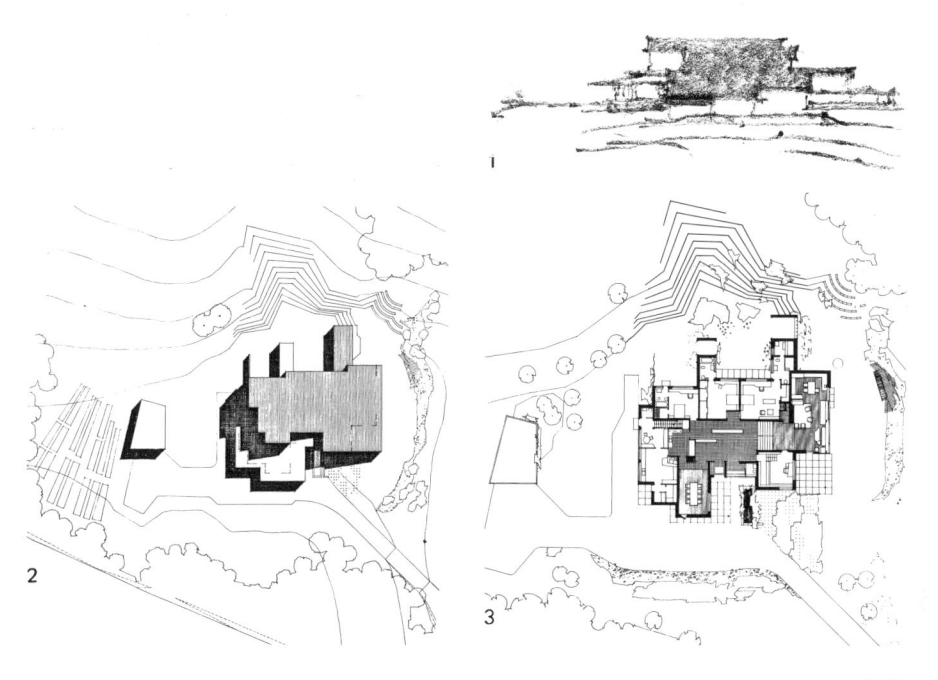

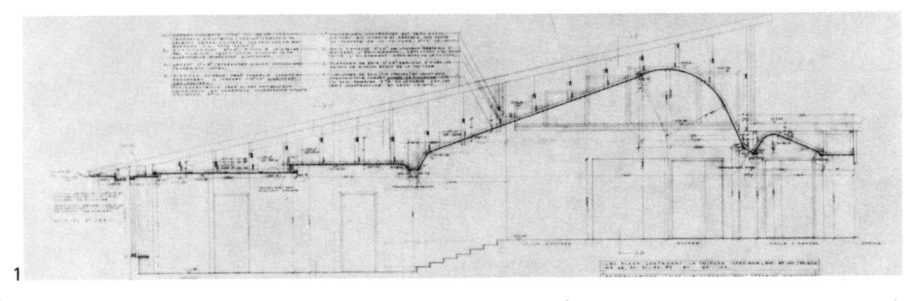

1 Planta de execução do teto no saguão e nos cômodos de estar
2 Saguão com vista para os cômodos de estar
3 Lâmpada
4 *Living-room* com a lareira
5 Sala de jantar

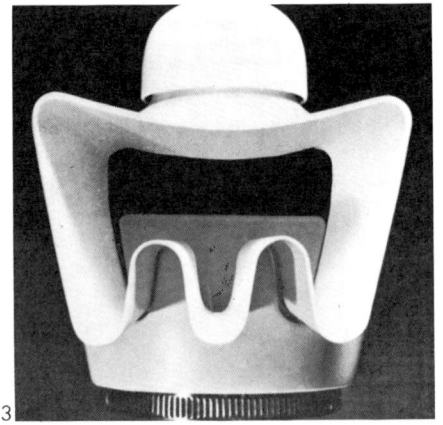

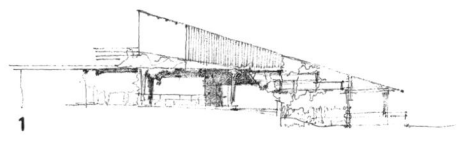

1 Esboço
2 Entrada da fachada ocidental com a clarabóia do saguão abobadado. As fachadas em tijolo aparente, pintadas de branco, os plintos em travertino cinza, os telhados em cobre e em ardósia grande
3 Quartos de dormir
4 Quartos de hóspedes
5 Fachada sul do *living-room*
6 O pilar sob o teto avançado

Villa **Kokkonen, Järvenpää**
Projeto 1966-1967   Construção 1967-1969

A *villa* encontra-se numa área arborizada. O proprietário é compositor, e a casa foi prevista também como local de trabalho.
O último é separado da parte reservada à habitação para que uma ala não atrapalhe a outra.
Para se juntar o salão de música à sala de estar em determinadas ocasiões, foi prevista uma grande porta. Quando ela está fechada, há, do lado do salão de música, uma pesada parede corrediça e, do lado da moradia, uma parede sanfonada.

1 Planta de situação
2/3 Fachada do jardim

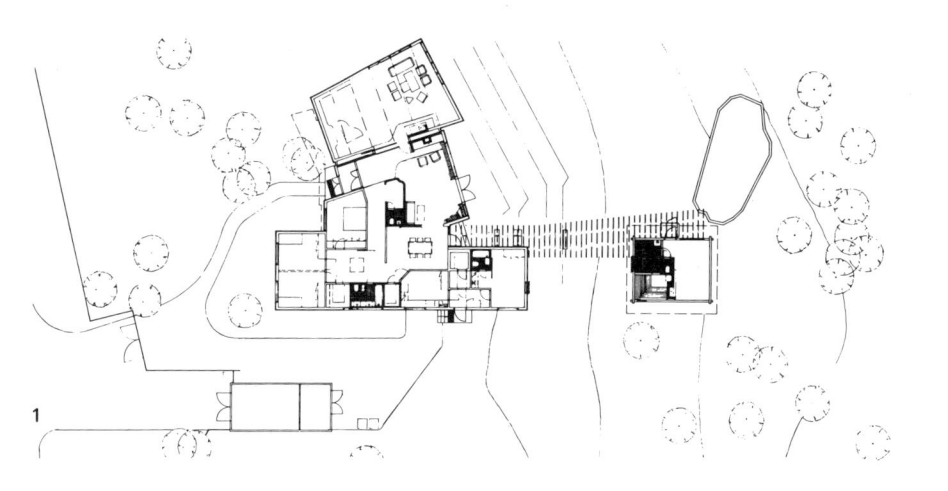

1 Planta
2 Vista do salão de música para a sala de estar

Villa Schildt, Tammisaari
Projeto 1968   Construção 1969-1970

A casa situa-se num parque perto do centro da cidade. Foi concebida para uma família pequena e reúne habitação e trabalho. A sala de estar foi construída na altura de um andar para assegurar a vista da baía próxima. O vestíbulo e a habitação estão ligados por um teto de madeira para dar uma impressão de grandeza. A sala de trabalho e o quarto de dormir dão para o jardim interno. O quarto de hóspedes com a sauna é separado do edifício principal.

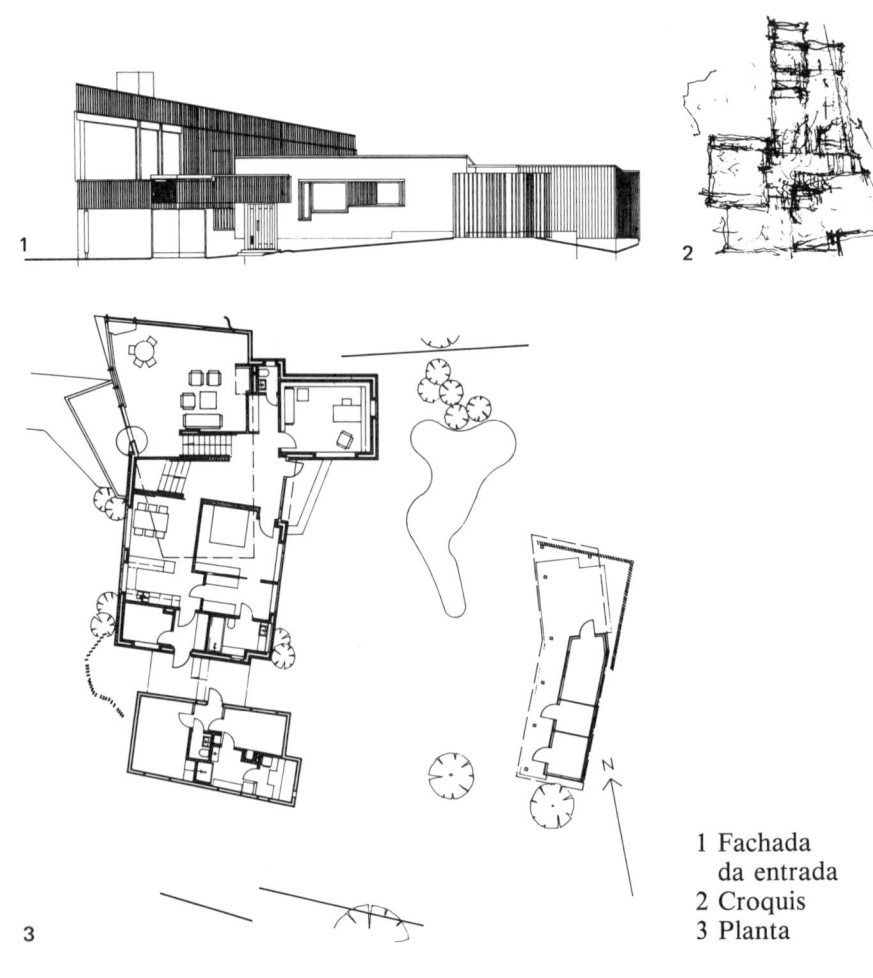

1 Fachada
  da entrada
2 Croquis
3 Planta

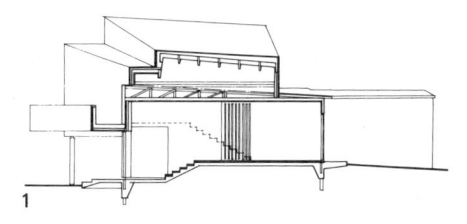

1 Corte
2/3 Sala de estar
4 Fachada da entrada

CENTROS RESIDENCIAIS E ARRANHA-CÉUS

Residências da fábrica de celulose, Sunila
Projeto 1935-1937   Construção 1936-1939

O terreno é bastante acidentado, coberto de rochedos e colinas entrecortadas de vales. A idéia principal da planificação inspirava-se na seguinte regra: as encostas orientadas para o sul serão reservadas aos grupos de casas; os pequenos vales, à circulação e aos jardins; as encostas norte conservarão intacta a floresta.
Os trabalhos foram executados em cinco etapas.

1 Planta de situação
2 Planta de uma unidade habitacional
3 Residências dos operários, sem varandas

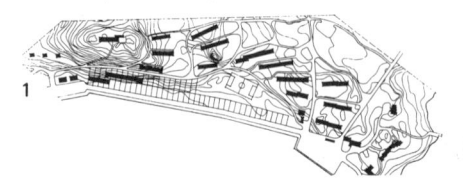

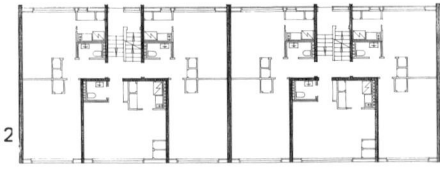

1 Residências para funcionários. Grupo de três habitações alimentado por um aquecedor comum
2 Planta de um apartamento
3 Apartamentos com grandes varandas funcionais
4 Planta de um apartamento
5 Residências seriadas: cada unidade compreende três habitações com entradas separadas e sem escadas em virtude da utilização do declive
6 Um apartamento de operários e funcionários

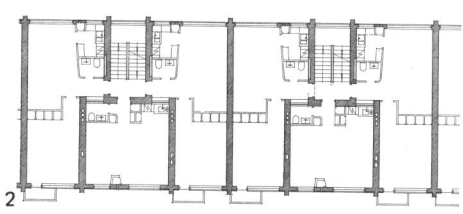

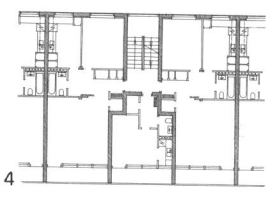

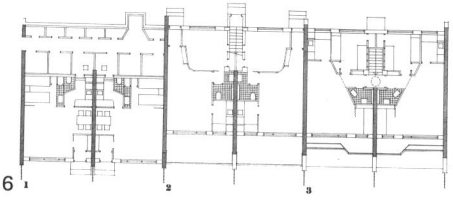

O urbanismo subterrâneo compreende o aquecimento a distância, os esgotos, as canalizações de água quente e fria. O aquecimento a distância é dividido em três setores.
Foi evitada a centralização rígida, pois tiveram de ser respeitadas demasiadas considerações diferentes e exigências particulares. Cada centro residencial tem sua personalidade própria. As experiências acumuladas durante a construção de um foram aproveitadas para a melhoria do outro.

7 Corte
8 Uma casa de operários e de funcionários
9 Planta
10 Casas em série para os funcionários de nível mais elevado, separadas e rodeadas de jardins em leque. Atmosfera de intimidade

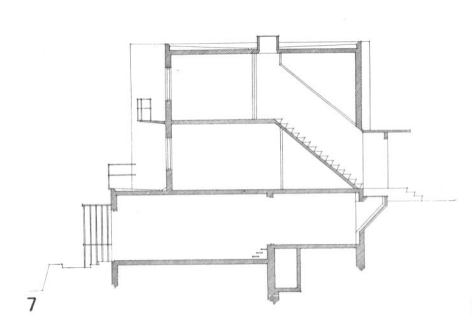

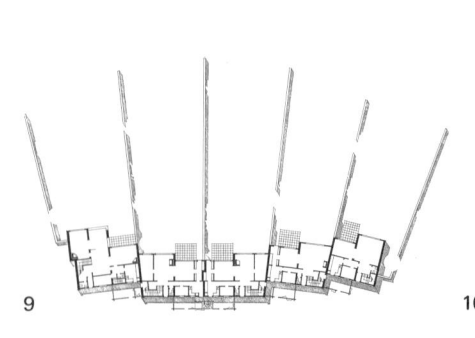

Centro residencial, Kauttua
Projeto 1937   Construção 1938-1940

Aqui, apresentou-se a oportunidade de continuar as experiências feitas nos centros residenciais de Sunila. A topografia — altas morainas cobertas por florestas de pinheiros — apresentava lugares interessantes para a instalação de moradias.

A disposição das habitações respeita os declives, sendo naturalmente preferidos os do sul. O desnível é tal que foi possível criar terraços sobrepostos, graças aos quais cada apartamento dá para a floresta.

O tipo das moradias concebido aqui dispensa escadas, embora haja quatro pavimentos a partir do nível do chão. Até o acesso ao porão não tem escadas, pois o subsolo está situado sob a colina, ao nível do rés-do-chão.

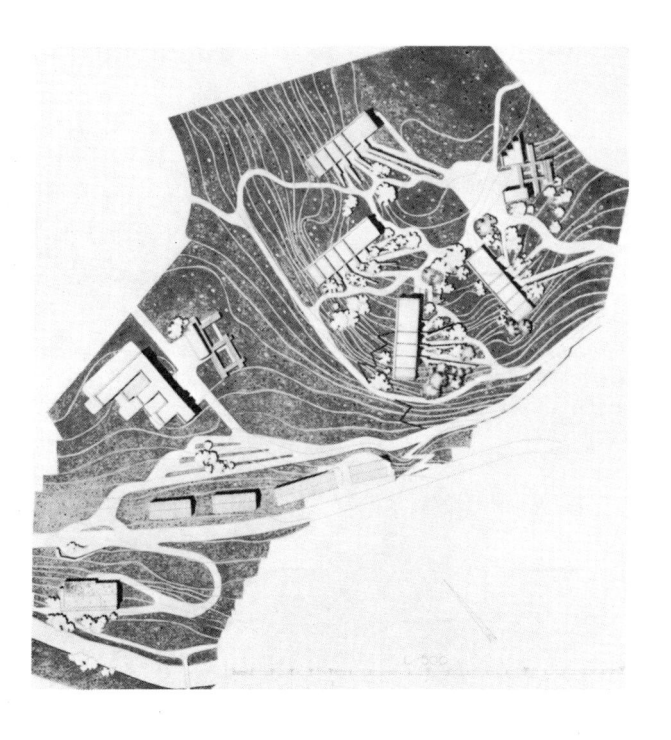

Planta de situação

O teto do apartamento de baixo forma a plataforma para o apartamento de cima.

Às vezes caçoamos das cidades do Oriente, que não têm canalizações e onde os cães e os gatos fazem, como na antiga Bizâncio, a limpeza pública, livrando as ruas da sujeira. Mas, considerando nossas grandes cidades, constata-se que nenhuma delas se adaptou às condições modernas, pois milhares de motores invadem as ruas e empesteiam o ar; nenhuma encontrou um meio de se transformar de acordo com as necessidades do nosso tempo, criando condições de depuração normal da atmosfera. De que serve multiplicar os hospitais para cuidar do câncer e do reumatismo quando o único remédio para essas doenças endêmicas seria adotar um urbanismo racional, capaz de evitar que o homem trabalhe e viva no ar viciado do tráfego moderno!

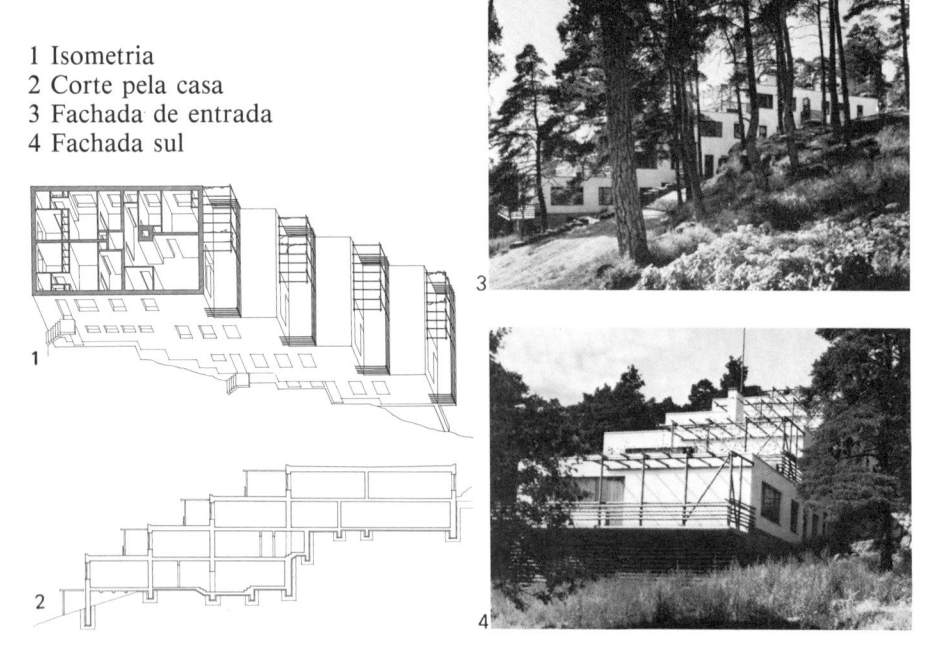

1 Isometria
2 Corte pela casa
3 Fachada de entrada
4 Fachada sul

Edifício de apartamentos do bairro da Hansa, Berlim
Projeto e construção 1955-1957

O edifício de apartamentos, com suas múltiplas habitações, não poderia pretender à mesma intimidade que uma casa. No entanto, junto a um jardinzinho, mas sem ser favorecida por pátios internos, a casa possui às vezes inconvenientes que certos prédios não têm. É por isso que se procura unir as vantagens dos prédios de apartamentos às da casa.

No prédio edificado como um modelo do gênero na exposição de Interbau, no bairro da Hansa, encontrou-se uma solução ideal. As estreitas varandas comuns foram alargadas e formam um grande espaço ao redor do qual se agrupam certos cômodos, o que cria uma atmosfera de intimidade sem deixar de ter suas vantagens práticas.

Fachada sul

1 Pintura do teto do saguão
2 Apartamento mobiliado com móveis Artek
3 Interior do saguão, formando um espaço coberto para os habitantes
4 Vista do canto das refeições para a sala de estar e para a varanda

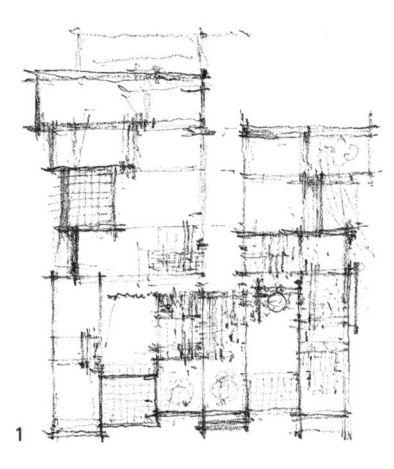

1 Croquis
2 Planta dos apartamentos
3 Planta do saguão comum
4 Protótipo de apartamento
5 Vista do exterior
6 Fachadas leste e fachada da entrada

Arranha-céu residencial "Neue Vahr", Bremen (Alemanha)
Projeto 1958   Construção 1959-1962

A planta foi concebida de modo a que os apartamentos de um cômodo, em geral retangulares e muito estreitos, se alarguem em direção às fachadas, proporcionando assim a sensação de espaço.
Uma bateria de elevadores serve todo o prédio, o que facilita o acesso aos apartamentos, que são muito numerosos.

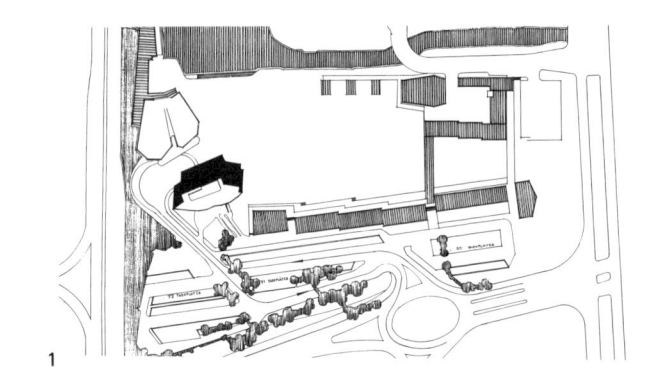

1 Planta de situação
2 Fachada oeste

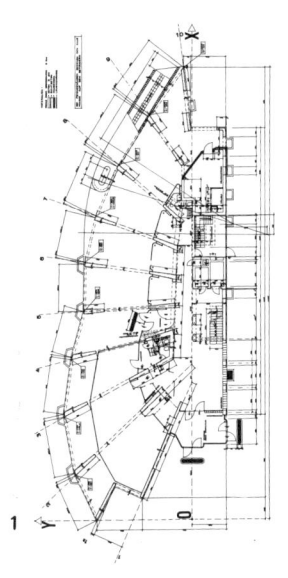

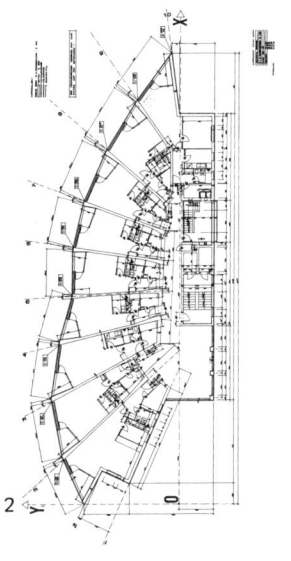

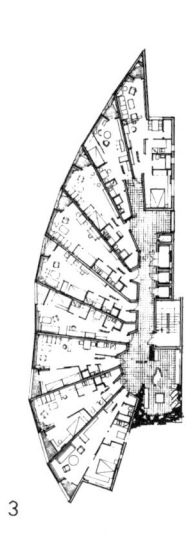

1 Planta do térreo
2 Protótipo de um pavimento
3 Anteprojeto de um protótipo de pavimento
4 Fachada sul
5 Detalhe da fachada

Residências Tapiola, Espoo
Projeto 1961   Construção 1962-1964

O conjunto, formado de sete prédios, encontra-se no centro-modelo de Tapiola, a oeste de Helsinki. Vários arquitetos foram convidados para criar casas experimentais, das quais se escolheriam modelos para a habitação geral do futuro. O modelo escolhido baseia-se nas moradias do centro de Nynäshamn, de 1946.

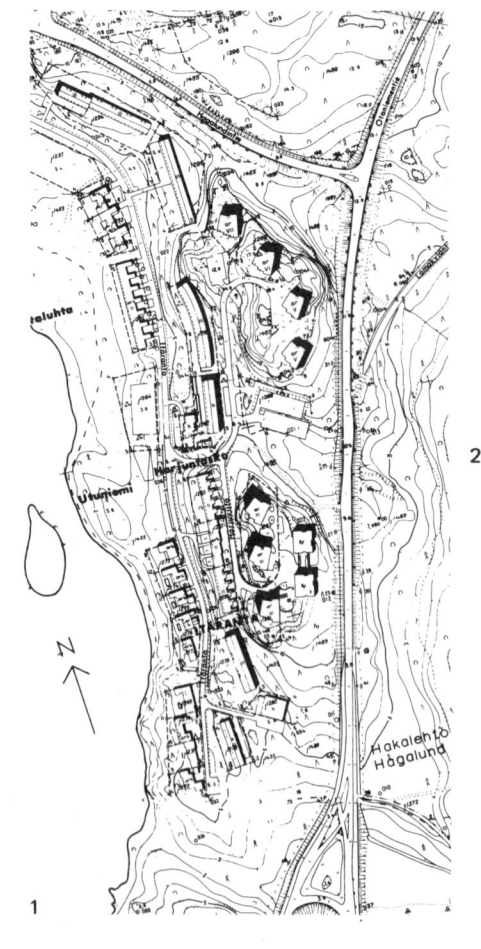

1 Planta de situação
2 Uma habitação

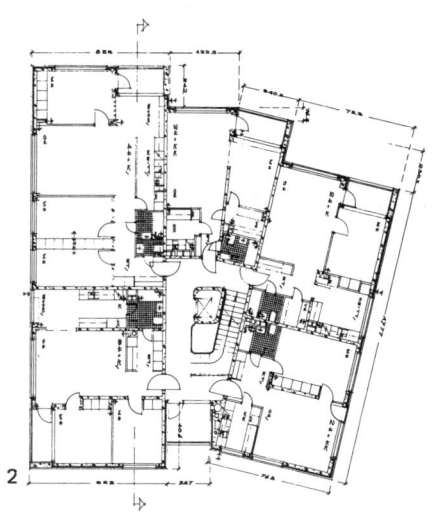

1/2 Plantas
3/4 Vistas externas

Residências Gammelbacka, Porvoo
Projeto 1966

O terreno de vales desse conjunto residencial localiza-se nas cercanias da cidade, próximo a uma nova zona industrial. Apesar das normas rigorosas concernentes às residências subvencionadas, esse conjunto foi concebido para ser um canteiro experimental.
"... A pré-fabricação só tem sentido se proporcionar uma variedade de tipos de habitações baratas maior do que a obtida pelos métodos tradicionais..."
Os grupos formam unidades independentes no conjunto. Os pedestres circulam afastados do tráfego e podem ir sem dificuldade da zona intermediária comum até o mar.

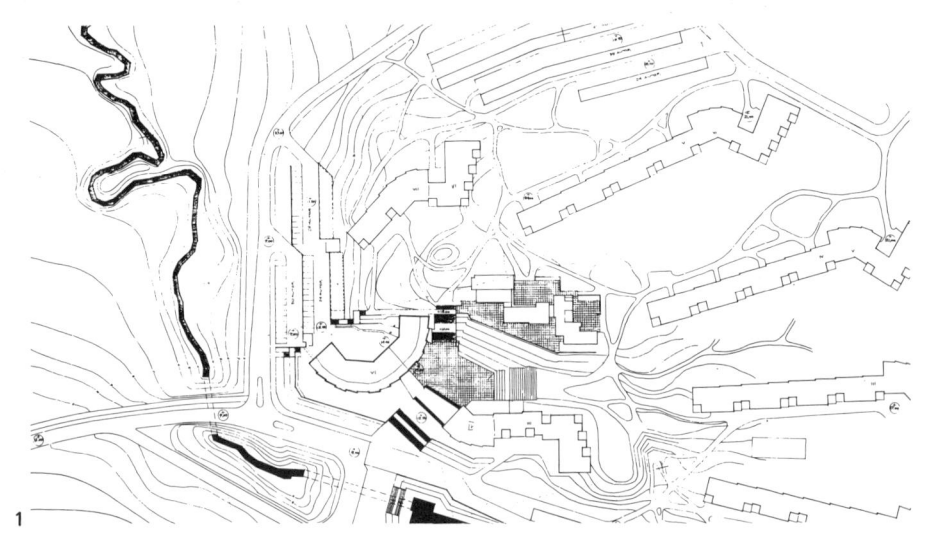

1

2

1 Unidade de habitação
2 Maquete

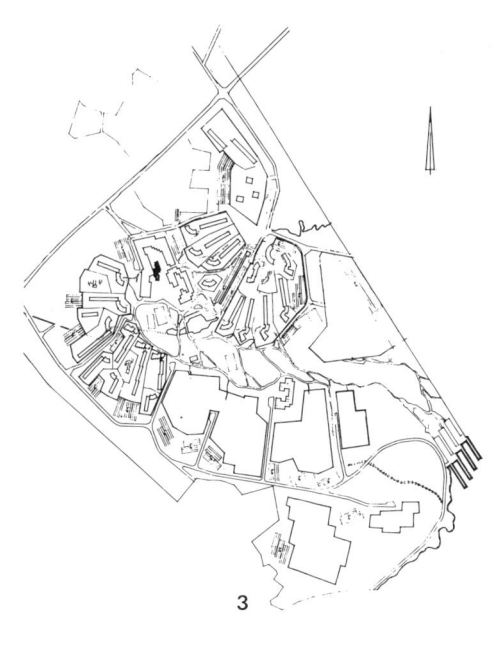

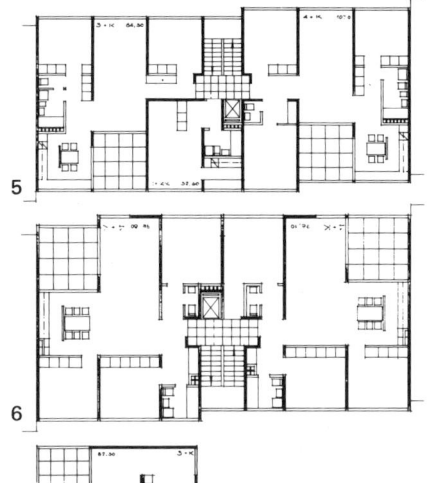

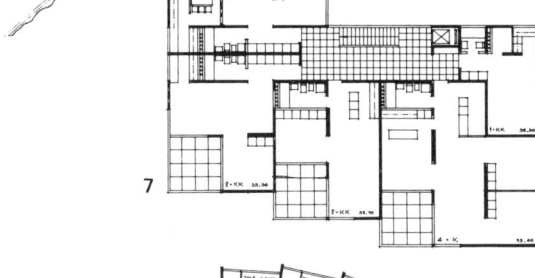

3 Planta geral
4 Maquete
5-8 Protótipo de
   plantas

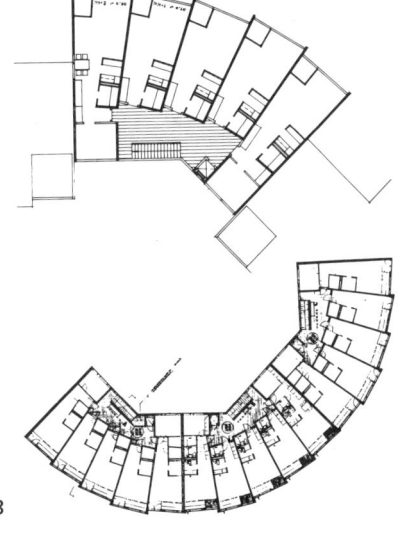

Arranha-céu "Schönbühl", Lucerna (Suíça)
Projeto 1965   Construção 1966-1968

Esse arranha-céu representa uma fase mais evoluída do arranha-céu "Neue Vahr" em Bremen. A diferença reside na tentativa de alojar aqui apartamentos de mais de dois cômodos na planta em forma de leque. Por motivos de rendimento, cada andar contém o maior número possível de

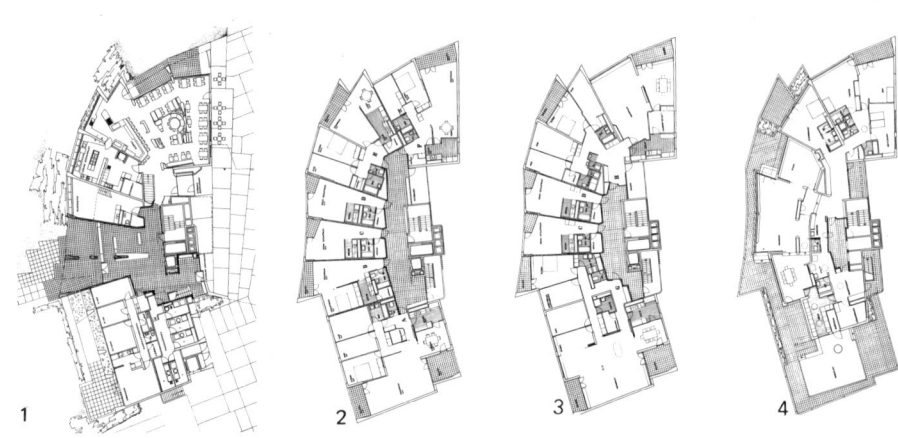

1 Planta do térreo. O restaurante, o bar e a cozinha, o apartamento tipo "casinha", a entrada e o vestíbulo que dão para o jardim com o acesso para as salas comuns, a lavanderia e o apartamento do zelador
2 Protótipo de planta
3 14º andar
4 Ático. Apartamento de nove cômodos com grande terraço
5 Vista das fachadas oeste e leste. À esquerda, passagem para o centro comercial

apartamentos. Estes são servidos por um único vão de escada e um único grupo de elevadores e são distribuídos pelo corredor e pelos cômodos de serviço, intencionalmente reduzidos ao mínimo. Essa disposição levou naturalmente a uma planta em leque, cuja vantagem reside no fato de que os apartamentos se atrapalham o mínimo possível.
Em Lucerna, a fachada é vazada devido aos apartamentos de vários cômodos.

1 Maquete do centro comercial desenhado por Alfred Roth
2 Restaurante
3 Fachadas oeste e norte: vista do estacionamento do centro comercial com a entrada do arranha-céu. No meio se encontram os canais de fumaça do aquecimento central, por blocos, a escada de segurança e os terraços de serviço
4 Um apartamento mobiliado com uma instalação Artek

Residências e restaurante às margens do lago, "Schönbühl", Lucerna (Suíça)
Projeto 1969

O terreno previsto para essas residências se encontra às margens do lago dos Quatro-Cantões perto do arranha-céu de Schönbühl, construído nos anos 1965-1967. O projeto compreende três setores: um restaurante à beira do lago, um prédio de vários andares com apartamentos bastante grandes e uma série de casas em fileiras. O público tem acesso às margens do lago, as quais podem oferecer a possibilidade de festas locais. Uma pequena praia está à disposição dos habitantes do bairro.

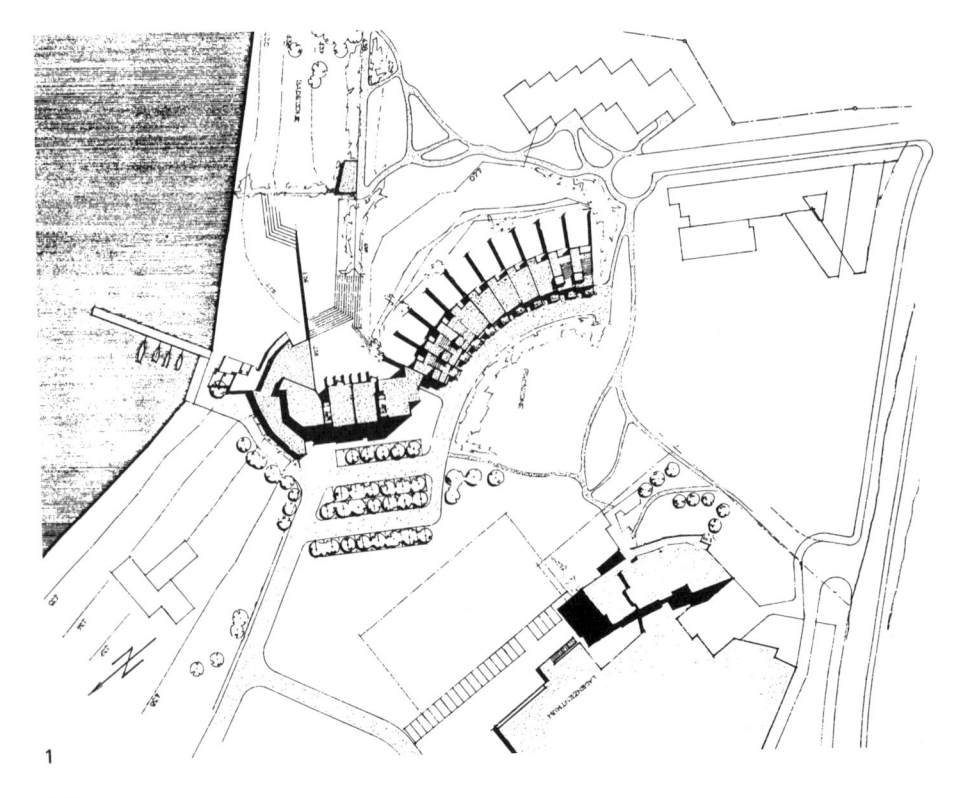

1

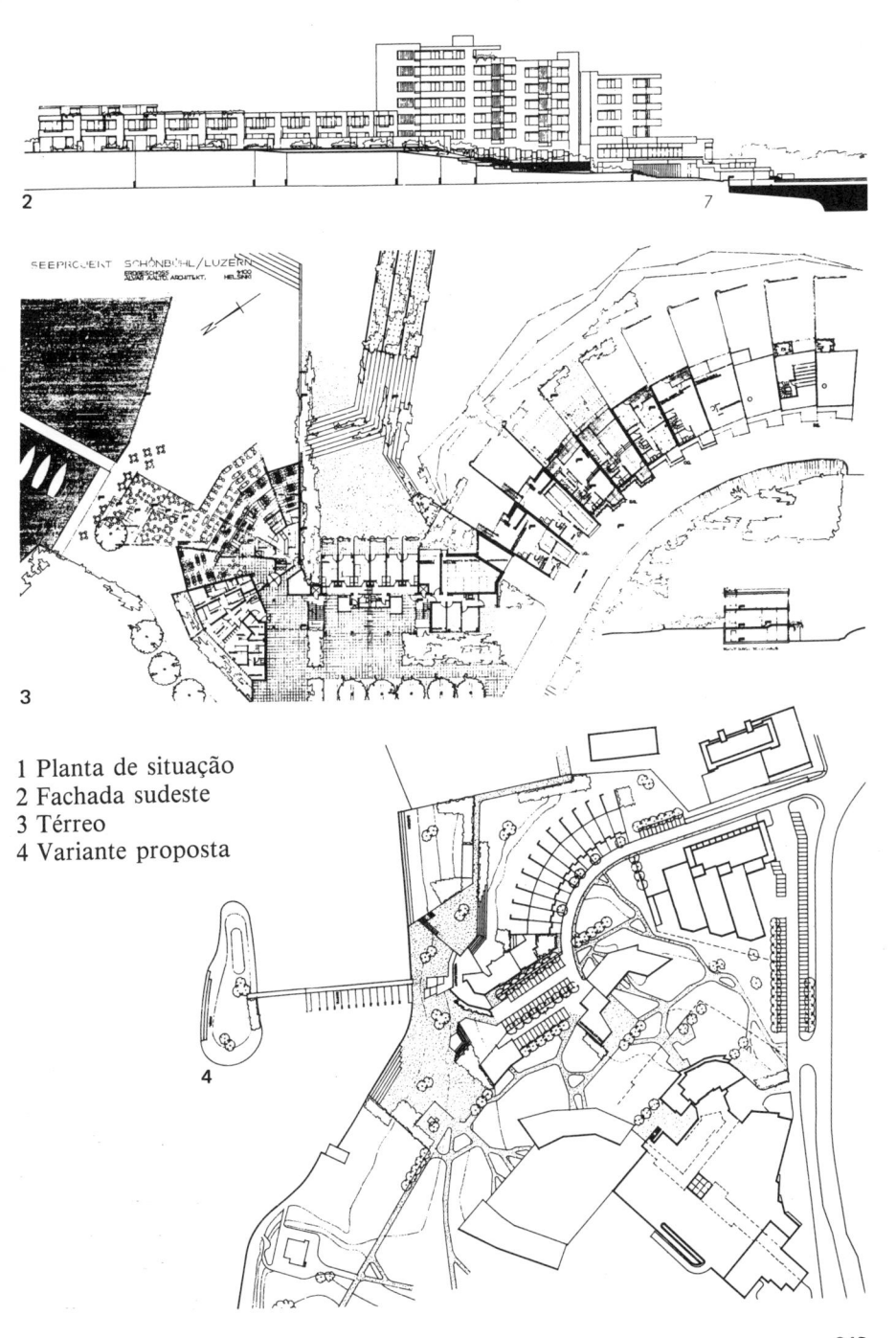

1 Planta de situação
2 Fachada sudeste
3 Térreo
4 Variante proposta

INTERIORES

Móveis e luminárias

"Na pesquisa de soluções práticas e estéticas em arquitetura, nem sempre é possível se limitar a considerações racionais e técnicas — o que é até mesmo bastante raro.

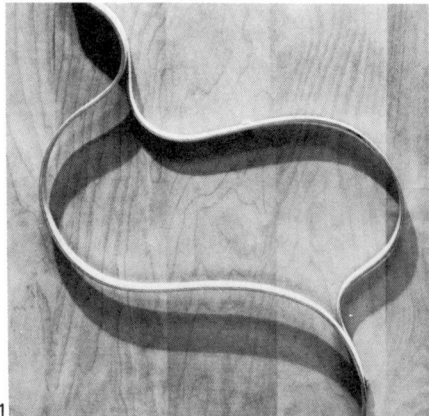

A imaginação deve conservar sua liberdade.
A maioria de minhas experiências

1-3 Madeira encurvada

1-6 Luminárias e corte em vidro ▷

245

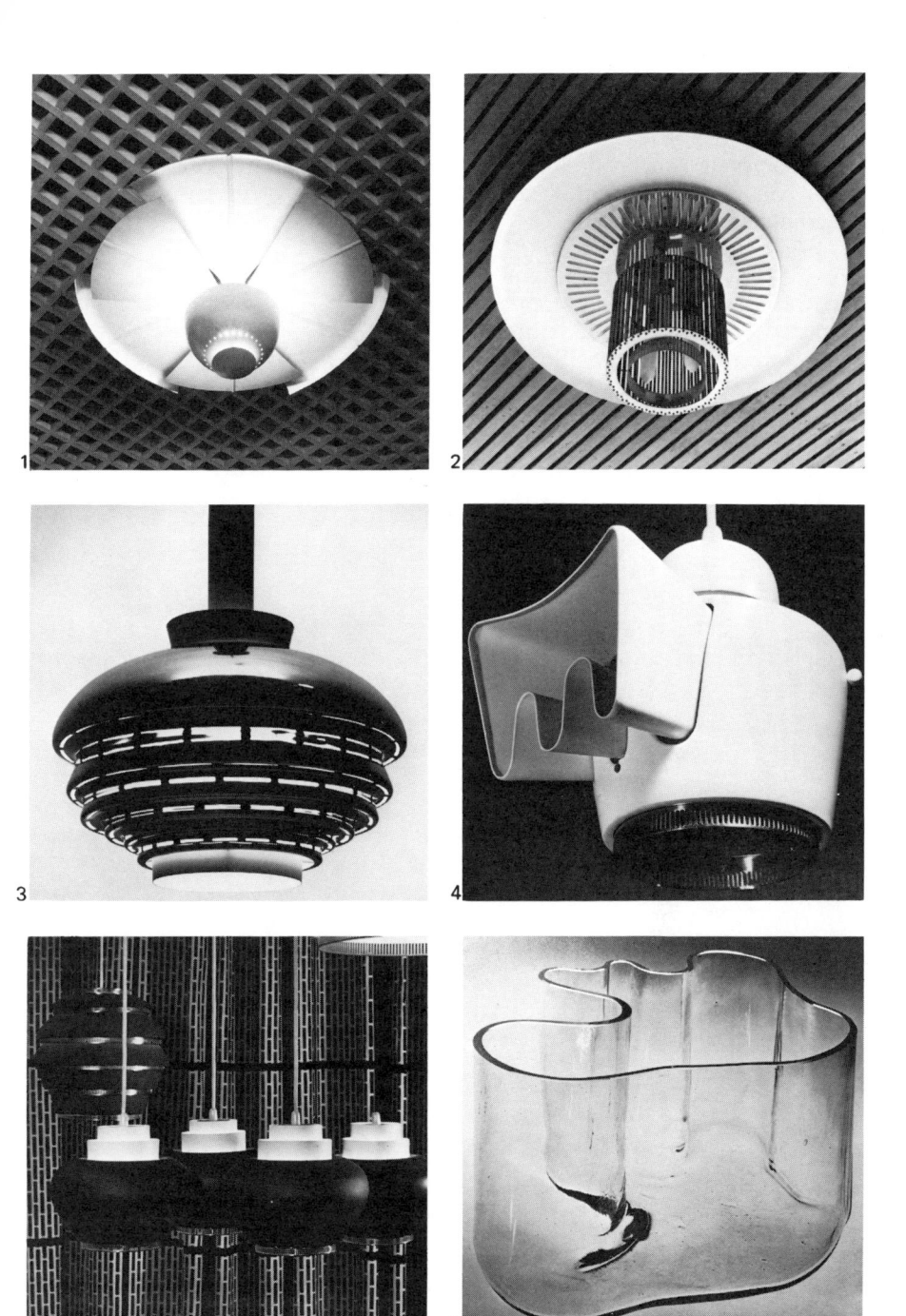

com a madeira foi feita sem finalidade clara, por brincadeira, e, em certos casos, só dez anos depois cheguei a uma aplicação prática.
As primeiras experiências tendiam a dobrar num certo sentido *assemblages* de lamelas de madeira. Eu sempre quis criar formas em madeira cujas linhas se libertassem do aspecto habitual e concorressem para determinar volumes novos.
As primeiras tentativas de criar volumes novos em madeira, sem recorrer à escultura, resultaram em soluções trianguladas, que levam em conta a direção das fibras."

A. A.

1/2 Experiências com a madeira encurvada

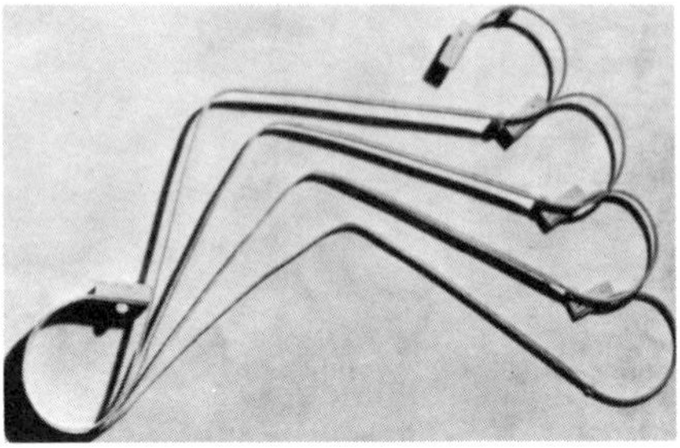

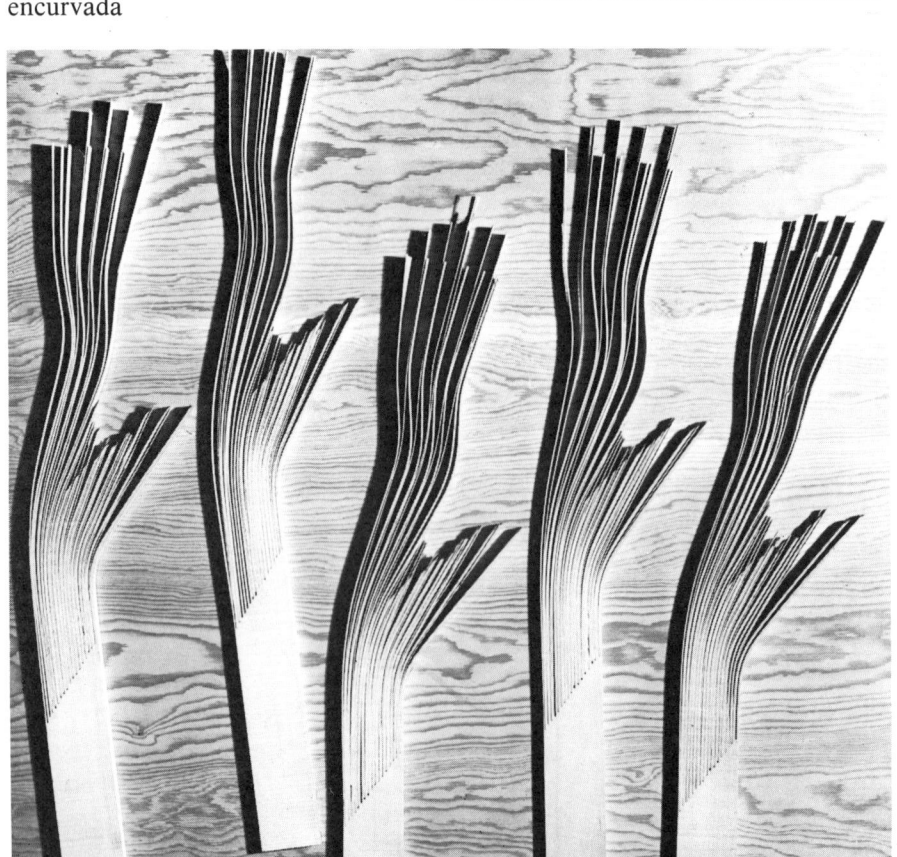

Os primeiros modelos de móveis leves em madeira foram criados para o sanatório de Paimio, não para combater a frieza dos móveis de aço, mas para adotar um material mais conveniente para o corpo.
Uma marcenaria da região abriu um ateliê de experiências, e os primeiros modelos eram em madeira encurvada e comprimida. Tratava-se de estudar assentos laváveis e limpos que possuíssem a elasticidade das molas. Na primeira série, utilizou-se ainda o tubo de aço, embora este não tivesse contato com o corpo; mais tarde, usou-se somente a madeira encurvada.
Uma das primeiras tentativas para tornar a madeira elástica consistiu em dobrá-la de tal maneira que, com o esforço, cada curva tinha a tendência a se estreitar, comprimindo as lamelas coladas. A madeira usada, a bétula, não era, como de hábito, comprimida no vapor, mas, sim, tratada explorando-se suas qualidades naturais de madeira verde.

1-3 Madeira encurvada

1/2 Experiências com a madeira
    encurvada

3-5 Modelos de cadeira

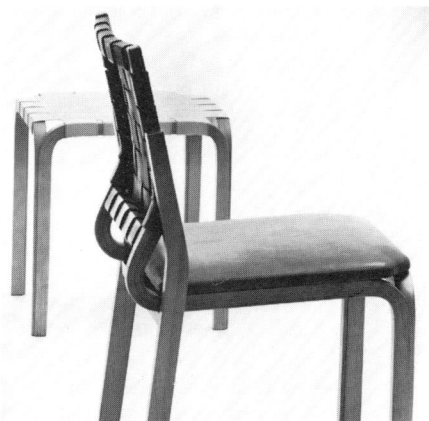

Lista das obras (1918-1976)

1918 Residência dos pais do arquiteto em Alajärvi, transformação
1918 O campanário de Kauhajärvi
1921/22 Edifício para organizações patrióticas em Seinäjoki
1922 Exposição industrial em Tampere
1922/23 Residência com dois apartamentos em Jyväskylä
1923 Residência dos operários em Jyväskylä, concurso, 1º prêmio
1923/24 Edifício de apartamentos em Jyväskylä
1923-25 Residência dos operários em Jyväskylä
1924 Igreja de Aeänekoski, restauração
1924 Igreja de Anttola, restauração
1925 Edifício do correio em Jyväskylä
1925 Edifício das organizações patrióticas, concurso, 2º prêmio
1925 Igreja de Jämsä, concurso
1925 Igreja de Viitasaari, transformação
1926-29 Igreja de Muurame
1927 Igreja de Töölö em Helsinki, concurso
1927 Igreja de Viinikka em Tampere, concurso, 2º prêmio
1927 Igreja de Pylkönmäki, restauração e campanário
1927 Biblioteca municipal de Viipuri, concurso, 1º prêmio
1927/28 Edifício de apartamentos Standard em Turku
1927-29 Edifício da Cooperativa Agrícola e teatro finlandês, Turku
1927-29 Edifício das organizações patrióticas em Jyväskylä
1927-29 Sede do jornal *Turun Sanomat* em Turku
1928 Sanatório contra a tuberculose de Paimio, concurso, 1º prêmio
1928 Casas de verão Aitta, concurso, 1º prêmio
1928 Igreja de Korpilahti, restauração
1929 Igreja de Kemijärvi, restauração
1929 Exposição do 7º Centenário de Turku
1929-33 Sanatório contra a tuberculose de Paimio
1930 Instituto de educação física de Vierumäki, concurso, 3º prêmio
1930 Igreja de Michele-Agricola em Helsinki, concurso
1930 Estádio e centro esportivo, Helsinki, concurso
1930 Hospital universitário de Zagreb, Iugoslávia, concurso
1930/31 Fábrica de celulose em Toppila, Oulu
1930-35 Biblioteca municipal, Viipuri, destruída em 1943
1932 Estádio de Helsinki, concurso
1932 Casa pré-fabricada, concurso
1932 Residência de fim-de-semana Enzo-Gutzeit, concurso
1933 Habitações dos funcionários do sanatório de Paimio
1933 Residências seriadas dos médicos do sanatório de Paimio
1933 Plano de saneamento para Norrmalm, Estocolmo, Suécia, concurso

1934	Estação de trem de Tampere, concurso
1934	Centro residencial Stenius em Munkkiniemi
1934	Pavilhão de exposição em Helsinki, concurso, 3º prêmio
1934-36	Ateliê do arquiteto em Munkkiniemi
1935	Pavilhão finlandês na exposição universal de Paris, concurso, 1º e 2º prêmios
1935-39	Fábrica de celulose em Sunila, 1ª etapa da construção
1936	Museu de arte de Tallinn, Estônia, concurso
1936/37	Pavilhão finlandês na exposição universal de Paris
1937	Restaurante Savoy em Helsinki
1937	Centro residencial em Kauttua, concurso
1937	Banco Nórdico em Karhula
1937	Pavilhão finlandês na exposição universal de Nova York, concurso, 1º, 2º e 3º prêmios
1937/38	Residência do diretor em Sunila
1937/38	Casas de dois andares em Sunila
1937/38	Casas de dois andares em Sunila, 1º grupo
1937/38	Casas de dois andares em Sunila, 2º grupo
1937-39	*Villa "Mairea"* em Noormakku
1937-40	Casa em terraços em Kauttua
1938	Pavilhão da economia florestal na exposição de agricultura de Lapua
1938	Estúdio Blomberg em Westend, Helsinki, concurso
1938	Ampliação da biblioteca universitária de Helsinki, concurso, 2º prêmio
1938	Fábrica de papel Anjala em Inkeroinen
1938/39	Casas de três andares em Sunila, 1º grupo
1938/39	Pavilhão finlandês na exposição universal de Nova York
1938/39	Casas de três andares em Sunila, 2º grupo
1938/39	Escola primária em Inkeroinen
1938/39	Edifícios de apartamentos Anjala em Inkeroinen, 1º grupo
1938/39	Casas Anjala em Inkeroinen, 2º grupo
1938/39	Casas dos engenheiros Anjala, Inkeroinen
1939-45	Edifícios de apartamentos Ahlström em Karhula
1940	Centro residencial Haka, Helsinki, concurso
1940	Planta de circulação e urbanização da praça Erottaja em Helsinki, concurso, 1º prêmio
1941	Planta para uma cidade experimental
1941/42	Planificação regional do vale de Kokemäki
1942-46	Projeto de urbanização para Säynätsalo
1942/43	Alojamento de mulheres, Kauttua
1943	Centro urbano de Oulu, concurso
1943	Central hidrelétrica de Merikoski, Oulu, concurso
1944	Centro urbano de Avesta, Suécia, concurso
1944	Centro residencial Strömberg em Vaasa
1944	Ampliação da fábrica de Kauttua
1944/45	Projeto de urbanização para Rovaniemi

1944/45 Ateliê mecânico Ahlström em Karhula
1944-47 Fábrica de caixas registradoras Strömberg, em Vaasa
1944-47 Habitações Strömberg, em Vaasa
1945 Habitações dos engenheiros, em Kauttua
1945 Sauna, Kauttua
1945 Pavilhão de exposição Artek em Hedemora, Suécia
1945/46 Serraria em Varkaus, ampliação
1945/46 Conjunto residencial em Varkaus
1946 Conjunto residencial Heimdal em Nynäshamn, Suécia, concurso
1946 Plano diretor de Nynäshamn, Suécia, concurso
1946 Residência em Pihlava
1946 Sauna da *villa* "Mairea", Noormarkku
1947 Sauna e lavanderia Strömberg, em Vaasa
1947 Instituto de pesquisa Johnson, em Avesta, Suécia
1947/48 M.I.T Alojamento de estudantes mais velhos, Cambridge, Mass., EUA
1947-53 Planificação regional de Imatra
1948 Forum redivivum, centro cultural e administrativo de Helsinki, concurso, 1º prêmio
1949 Entrepostos das fábricas Ahlström em Karhula
1949 Planta global da Escola Politécnica de Otaniemi, concurso, 1º prêmio
1949 Prefeitura da cidade de Säynätsalo, concurso, 1º prêmio
1949/50 Habitações Tampella em Tampere
1950 Igreja de Lahti, concurso, 1º prêmio
1950 Capela funerária de Malm em Helsinki, concurso, 1º prêmio
1950 Hospital de Kivelä em Helsinki, concurso
1950 Instituto Superior de Pedagogia de Jyväskylä, concurso, 1º prêmio
1950-52 Centro de esportes em Otaniemi
1950-52 Sede da prefeitura de Säynätsalo
1950-55 Planificação regional da Lapônia
1951 Pavilhão Erottaja, Helsinki
1951 Teatro regional de Kuopio, concurso, 1º prêmio
1951 Fábrica de papel Enso-Gutzeit em Kotka
1951 Residência em Oulu
1951 Habitação dos comerciários, Inkeroinen
1951/52 Fábrica de sulfato Typpi OY em Oulu
1951/52 Edifício de apartamentos para os funcionários da Typpi OY em Oulu
1951-53 Fábrica de papel Enso-Gutzeit em Summa
1951-54 Fábrica de papel em Chandraghona, Paquistão
1951-54 Fábrica de celulose em Sunila, 2ª etapa
1951-54 Habitações de três andares em Sunila, 3º grupo
1952 Imóvel comercial Rautatalo em Helsinki, concurso, 1º prêmio
1952 Cemitério e capela funerária de Kongens Lyngby, Copenhague, Dinamarca, concurso

1952	Casa da Federação dos Engenheiros Finlandeses de Helsinki
1952	Clube Enso-Gutzeit em Kallvik
1952	Igreja de Seinäjoki, concurso, 1º prêmio
1952-54	Alojamentos para os empregados do Instituto de Aposentadorias Populares de Munkkiniemi
1953	Centro de esportes e congressos, praça Vogelweid em Viena, Áustria, concurso, 1º prêmio
1953	Planificação do centro da cidade de Imatra
1953	Casa de veraneio do arquiteto em Muuratsalo
1953-55	Imóvel comercial Rautatalo em Helsinki
1953-56	Instituto Superior de Pedagogia em Jyväskylä
1953-56	Ateliê do arquiteto em Munkkiniemi
1954	Ateliê R. S., em Como, Itália
1954	Centro de esportes da Escola Politécnica em Otaniemi
1954	Habitação AERO em Helsinki
1954/55	Barco a motor para Muuratsalo
1955	Projeto de urbanização para Summa
1955	Banco em Bagdá, Iraque, concurso
1955	Teatro e sala de concerto, Oulu
1955-57	Edifício do bairro da Hansa, em Berlim, Alemanha
1955-57	Sede da prefeitura de Göteborg, Suécia, concurso, 1º prêmio
1955-58	Casa de cultura em Helsinki
1955-64	Edifício principal da Escola Politécnica em Otaniemi
1956	Estação central de Göteborg "Drottning Troget", Suécia, concurso, 1º prêmio
1956	Casa do diretor da Typpi OY em Oulu
1956	Planta global da universidade de Oulu
1956	Pavilhão finlandês na Bienal de Veneza, Itália
1956-59	Igreja em Vuoksenniska, Imatra
1956-59	*Villa* Louis Carré em Bazoches, Île-de-France, França
1957	Sede da prefeitura de Marl, Alemanha, concurso
1957-61	Centro residencial Korkalovaara em Rovaniemi
1957-61	Centro comercial Sundh em Avesta, Suécia
1958	Sede da prefeitura de Kiruna, Suécia, concurso, 1º prêmio
1958	Museu de Belas-Artes de Aalborg, Dinamarca, concurso, 1º prêmio
1958	Museu de Belas-Artes de Bagdá, Iraque
1958	Edifício da administração dos correios em Bagdá, Iraque
1958	Centro residencial Kampementsbacken em Estocolomo, Suécia, concurso, 1º prêmio
1958-60	Igreja de Seinäjoki
1958-62	Arranha-céu "Neue Vahr" em Bremen, Alemanha
1958-62	Centro de cultura em Wolfsburg, Alemanha, concurso
1959	Ópera de Essen, Alemanha, concurso, 1º prêmio
1959	Centro residencial Björnholm, Helsinki
1959	Centro urbano de Seinäjoki, concurso, 1º prêmio

1959-62 Museu da Finlândia central em Jyväskylä
1959-62 Sede da sociedade Enso-Gutzeit em Helsinki
1959-62 Centro paroquial de Wolfsburg, Alemanha
1959-64 Planificação do centro da cidade de Helsinki
1960 Memorial da guerra, Suomussalmi
1960/61 Centro comercial em Otaniemi
1960-63 Central hidrelétrica Lieksankoski, Lieksa
1960-63 Laboratório termotécnico da Escola Politécnica de Otaniemi
1961/62 Imóvel comercial e residencial em Rovaniemi
1961-64 Ópera de Essen, Alemanha
1961-65 Sede da prefeitura de Seinäjoki
1961-65 Sede da Associação dos Estudantes Västmanland-Dala, Upsala, Suécia
1962 Grupo de edifícios de apartamentos de Tapiola
1962 Banco Enskilda em Estocolmo, Suécia, concurso, 2º prêmio
1962 Centro cultural de Leverkusen, Alemanha, concurso
1962/63 Central térmica da Escola Politécnica de Otaniemi
1962/63 Centro residencial em Rovaniemi
1962-64 Imóvel do Banco Nórdico em Helsinki
1962-66 Cidade Universitária em Otaniemi
1962-66 Habitações em Jakobstad
1962-68 Os grandes magazines Stockmann, ampliação, Helsinki
1962-68 Casa do Norte, Reykjavik, Islândia
1962-71 Palácio de convenções com sala de concertos, Helsinki
1963 Centro da cidade de Rovaniemi
1963- Planificação do centro de Otaniemi
1963-65 Instituto Internacional de Educação de Nova York, EUA, interior
1963-65 Biblioteca de Seinäjoki
1963-65 Escola infantil da paróquia do Santo Espírito em Wolfsburg, Alemanha
1963-66 Piscina em Jyväskylä, ampliação
1963-66 Edifício da União dos Estudantes de Jyväskylä
1963-66 Centro paroquial de Seinäjoki
1963-68 Biblioteca de Rovaniemi
1963-68 Centro paroquial de Detmerode, Alemanha
1964 Edifício administrativo BP em Hamburgo, Alemanha, concurso, 3º prêmio
1964 Laboratório de experiências com madeira, Otaniemi
1964 Centro hoteleiro, administrativo e de convenções de Turim (Itália)
1964- Centro administrativo e cultural, Jyväskylä
1964/65 Residência em Rovaniemi
1964-66 Projeto de urbanismo de Stensvik
1964-66 Ampliação do sanatório de Paimio
1964-67 Caixa Econômica Ekenäs, Tammisaari
1964-68 Imóvel administrativo da Sociedade Municipal de Eletricidade, Helsinki

1964-69 Biblioteca da Escola Politécnica de Otaniemi
1964-70 Instituto de Cultura Física da Universidade de Jyväskylä
1965   Centro urbano de Castrop-Rauxel, Alemanha, concurso
1965   Museu particular Lehtinen de Helsinki
1965   Edifício administrativo Pohjola "Maiandros" em Helsinki
1965-68 Arranha-céus "Schönbühl" em Lucerna, Suíça
1965-70 Biblioteca do Mount Angel Benedictine College, Mount Angel, Oregon, EUA
1966   Cidade experimental Gammelbacka, Porvoo
1966   Conjunto habitacional de Pávia, Itália
1966   Centro cultural de Siena, Itália
1966   Teatro de Wolfsburg, Alemanha, concurso, 2º prêmio
1966   Biblioteca municipal de Kokkola
1966-   Centro paroquial Riola em Bolonha, Itália
1966-   Protótipo para um edifício administrativo e de entreposto da Sociedade Ferrero, Turim, Itália
1966-69 Livraria universitária, Helsinki
1966-69 Sede da prefeitura de Alajärvi
1967   Centro paroquial protestante de Zurique-Altstetten, concurso, 1º prêmio
1967   *Villa* Érica, perto de Turim (Itália)
1967-69 Casa Kokkonen, perto de Helsinki
1967-70 Edifício da delegacia central em Jyväskylä
1967-75 Ampliação da piscina universitária de Jyväskylä
1968-   Teatro de Seinäjoki
1968-71 Reservatório de água da Escola Politécnica de Otaniemi
1969   Habitações e restaurante às margens do lago "Schönbühl" em Lucerna (Suíça)
1969/70 *Villa* Schildt, Tammisaari
1969/70 Centro paroquial de Alajärvi
1969-73 Museu de Belas-Artes de Aalborg, Dinamarca
1969-75 Teatro e rádio "Lappia" em Rovaniemi
1969-75 Ampliação do edifício principal da Escola Politécnica de Otaniemi
1970   Igreja de Lahti
1970   Museu de Belas-Artes de Shiraz, Irã
1970   Teatro de Alajärvi
1970-75 Palácio de convenções e de concertos "Finlândia" em Helsinki
1971   Novo centro de Helsinki, 2º projeto
1971-73 Museu Alvar Aalto em Jyväskylä
1972-   Teatro de Rovaniemi
1973-   Palácio de Convenções de Helsinki, ampliação
1973   Novo centro de Helsinki, 3º projeto
1974-   Centro cultural da Sociedade Escandinava do Estado de Wisconsin, EUA
1974-76 Ampliação do edifício administrativo Enso-Gutzeit em Helsinki
1975/76 Projetos da universidade de Reykjavik, Islândia
1975-   Administração municipal de Jyväskylä, 1ª etapa

Epílogo

Através desta reedição e da apresentação de alguns projetos e construções, conclui-se a publicação das obras de Alvar Aalto.
Aalto pertencia à geração que, após a Primeira Guerra Mundial, se propôs criar um mundo novo, um mundo melhor. Ao mesmo tempo, a Finlândia encontrava-se, logo após a declaração de independência, diante da tarefa de reconstruir o país. Essas duas circunstâncias foram determinantes para a obra de Aalto. Para Aalto, a arquitetura era o meio pelo qual ele podia dar forma às suas experiências pessoais.
"A arquitetura deve estar a serviço do homem", era o que sempre retornava nas teorias que ele expunha. Dizia ainda: "O problema essencial será, para nós, encontrar a expressão adequada à nossa época, não somente na arquitetura, mas em todos os outros aspectos da vida." Ele vivia em suas realizações. A arquitetura para ele não era uma profissão, mas uma missão. Assim como ele fazia de sua pessoa um todo, cada construção lhe parecia um todo, no sentido de que a arquitetura, englobando o urbanismo, formava, até o mínimo detalhe, uma entidade. Tudo era examinado a fundo, a fim de se alcançar a síntese perfeita, segundo sua própria definição.
Suas concepções arquitetônicas se baseavam na realidade, na mentalidade moderna. Ele não se perdia nas ideologias. A fé no futuro, ele a extraía do conhecimento dos homens, aos quais atribuía todas as virtualidades.
Foi mais por acaso do que por um projeto determinado que fui levado a me ocupar das publicações de Aalto. Tudo começou em Helsinki, em 1955, quando eu trabalhava no seu ateliê. Naquela época, eu não tinha dúvidas de que um dia publicaria todas as obras de Aalto em alguns volumes.
Foi uma longa história, e às vezes eu era obrigado a lutar em duas frentes, a ser o intermediário entre Aalto e os editores. Houve muita espera. Nem sempre era fácil obter de Aalto a documentação necessária, e às vezes ele dizia: "Não estou aqui para publicar, mas sim para construir."
Os objetos que figuram nesta nova edição não são todos do último período de sua atividade. Há alguns que, por razões nem sempre plausíveis, Aalto não queria publicar, mas que fariam falta numa publicação geral, e pareceu judicioso apresentá-los.
Não teria sido possível reunir toda a documentação sem a colaboração extremamente eficaz da Sra. Elissa Aalto. Em todas as situações, ela foi o eixo em torno do qual os trabalhos se realizavam, sem que ela nunca procurasse brilhar.
Para terminar, agradeço a todas as pessoas que tornaram possível a publicação desta obra. Em especial, minha gratidão ao Sr. Hans Girsberger, que, ao publicar o primeiro volume das obras de Aalto, assentou a primeira pedra das publicações posteriores. O Sr. Bruno Mariacher, das Edições de Arquitetura Artemis, continuou com grande energia a apresentação das obras de Aalto, que o fascinavam.

Karl Fleig

Biografia

1898	Nascimento de Hugo Alvar Henrik Aalto, em 3 de fevereiro, em Kouortane. Sua família viveu em Alajärvi até a idade escolar das crianças.
1916	Maioridade e início dos estudos de arquitetura na Escola Politécnica de Helsinki.
1917	Declaração de independência da Finlândia. Aalto participa da guerra de independência.
1921	Diploma de arquiteto.
1922	Primeiro trabalho pessoal: a exposição industrial de Tampere. Primeiro artigo publicado: "Visões sobre o passado".
1923	Primeira agência de arquitetura em Jyväskylä.
1924	Casamento com Aino Marsio, também arquiteta.
1925	Nascimento da filha Johanna.
1927	Estabelece-se em Turku. 1º prêmio pela Biblioteca Municipal de Viborg.
1928	Nascimento do filho Hamilkar.
1928/29	1º prêmio no concurso para o sanatório para tuberculosos de Paimio.
1929	Primeiras experiências de lamelas de madeiras coladas, aplicadas ao mobiliário.
1931	Exposição de habitações pequenas em Helsinki.
1933	Inauguração do sanatório de Paimio. Mudança para Helsinki. Primeira exposição de móveis em Londres. 4º Congresso dos C.I.A.M. de Atenas. Primeira exposição da Trienal de Milão (exposição de mobiliário).
1934	Exposição de mobiliário no Salão Strindberg em Helsinki. Exposição de casas-modelo no Museu Liljevalks de Estocolmo.
1935	Fundação da Casa Artek.
1936	Construção da casa do arquiteto com ateliê em Munkkiniemi (Helsinki). Concurso para as fábricas de vidro de Karhula. Resultado: primeiro vaso Savoy, entre outros.
1938	Primeira viagem aos Estados Unidos. Exposição no Museu de Arte Moderna, Nova York. Harvard, Yale, Seattle. Exposições Golden Gate em San Francisco.
1938/39	Professor na universidade de Yale.
1939	Exposição universal em Nova York (Pavilhão Finlandês). Primeira exposição geral da habitação.
1940	Viagem aos Estados Unidos, com uma exposição das destruições da guerra na Finlândia. Diretor de pesquisas no M.I.T. A família mora nos Estados Unidos de março a outubro.
1941	Conferência nas Escolas Politécnicas de Zurique e de Lausanne sobre a reconstrução do pós-guerra na Europa.

1942	Fundação do Comitê de Reconstrução pela Associação dos Arquitetos finlandeses. Fundação do Instituto Finlandês de Pré-fabricados, por iniciativa de Aalto.
1943	Participação numa viagem de estudos de um grupo de arquitetos finlandeses para a reconstrução do pós-guerra na Alemanha.
1943-58	Presidente da Sociedade dos Arquitetos Finlandeses SAFA.
1944	Comitê de estudos para a reconstrução do pós-guerra na Finlândia.
1946	Encomenda da casa dos estudantes M.I.T. em Boston.
1946-48	Diretor de cursos no M.I.T. (EUA).
1949	Morte da mulher de Aalto, Aino Aalto-Marsio.
1959	Pavilhão Erottaja, primeira encomenda em Helsinki. Exposição na Escola de Belas-Artes em Paris.
1952	Casamento com Elissa Mäkiniemi, arquiteta.
1953	Primeira exposição em Helsinki, por iniciativa de Aalto: "A Finlândia constrói".
1954	Fundação do Museu Finlandês de Arquitetura Moderna por iniciativa de Aalto.
1955	Membro da Academia da Finlândia. Finalização do grande ateliê de Munkkiniemi.
1956-58	Convidado para ir a Nova York como *expert* do projeto para o Centro de Belas-Artes "Lincoln".
1958	Membro do júri no concurso de idéias para a urbanização de "Berlim, capital".
1960-75	Viagens anuais para a Suíça.
1961	Viagem aos Estados Unidos para estudar as casas de comércio: Chicago, Detroit, Pittsburgh, Nova York. Apresentação do primeiro projeto de planificação do centro de Helsinki.
1963	Presidente da Academia da Finlândia.
1966	Conferência em Helsinki sobre "A planificação da Grande Helsinki".
1976	Morte de Aalto, a 11 de maio em Helsinki.

Impressão:
Gráfica Palas Athena